翻訳　訳すことのストラテジー

マシュー・レイノルズ

秋草俊一郎 訳

白水社

TRANSLATION: A Very Short Introduction, First Edition
by Matthew Reynolds

© Matthew Reynolds 2016

TRANSLATION: A Very Short Introduction, First Edition was originally
published in English in 2016. This translation is published by arrangement with
Oxford University Press. Hakusuisha Publishing Co., Ltd. is solely responsible
for this translation from the original work and Oxford University Press shall
have no liability for any errors, omissions or inaccuracies or ambiguities in
such translation or for any losses caused by reliance thereon.

デザイン　三木俊一（文京図案室）

訳者まえがき

　本書『翻訳　訳すことのストラテジー』は、英国人の著者が書いた「翻訳」についての入門書です。当然ながら、本書のなかの話は、英語への／からの翻訳を中心にした話になっています。想定されている読者は、主に英語圏の高校生以上の学生ですし、説明のためにあげられている例文もほとんどが英語(英訳)です。引用される例文の英文には、和訳を添えたり、既訳を引用したりしたところもありますが、あくまで便宜的なものとしてお読みください。

　ことばがちがうということは、表現だけでなく、概念そのものがちがうということでもあります。英語のtranslationと日本語の「翻訳」の意味がちがうということも、よく言われます(本書にはまさにtranslationの意味の話も出てきます)。たとえば、『広辞苑』(第七版)で「翻訳」を引くと、次のように出ています。

> ほん-やく【翻訳・反訳】(translation)①ある言語で表現された文章の内容を他の言語になおすこと。四迷、余が翻訳の標準「苟(いやしく)も外国文を—しようとするからには、必ずやその文調をも移さねばならぬ」。「一書」②〔生〕蛋白質の生合成で、メッセンジャーRNA上の塩基配列を読みとり、その情報に対応するアミノ酸を選んでペプチド鎖を合成する過程。遺伝情報が蛋白質の構造として発現する過程の第二段階。→転写2。

他方で『プログレッシブ英和中辞典』(第5版)でtranslateを引くと、他動詞だけでも「……を(他の場所に)移す, 運ぶ」「〈司教を〉

(他の管区に)転任させる」「〈聖人の遺体・司教座を〉移す」「〈人を〉(死を経ずに)昇天させる」「〈文・言語などを〉(ある言語から／他の言語へ)訳す，翻訳する，通訳する」「〈言葉・記号・態度などを〉(……と)解釈［説明］する」「〈遺伝情報を〉翻訳する」「〈ある媒体を〉(別の媒体に)移す」「〈音声・電気などを〉(……に)変換する，変える」「〈電信を〉中継する」「〈病原体を〉転移させる」「〈古着などを〉仕立て［作り］直す」「〈関数などを〉平行移動させる」「〈物体を〉並進運動させる」「〈人を〉恍惚とさせる，有頂天にする」「〈信念・知識などを〉(行為などに)移す」と、ざっと10以上もの意味が列挙されています。これだけとっても、英語のtranslationの意味の広がりがわかるのではないでしょうか。

　もちろん、本書は21世紀に書かれた入門書にふさわしく、日本をふくめた異文化への配慮も最大限されています。仏典漢訳からコーランの翻訳、国連やEUでの通訳やグーグル翻訳、マンガの翻訳やファンサブまでさまざまな事例がとりあげられています。実際、本書が主張するように、ある文化と文化が接触するところならどこでも「翻訳」は生まれます。翻訳は、文化と文化、アイデンティティとアイデンティティ、価値と価値、力と力の交渉の動的なプロセスの一部でもあります。その意味で、どの翻訳にもじつは(目に見えない)ストラテジーがはたらいているとも言えます。著者が描く、めくるめくtranslation／翻訳の不思議な世界の「地図」を、お楽しみいただければ、訳者にとってそれに勝るよろこびはありません。

もくじ

訳者まえがき 3

i
交わる言語 7
翻訳ってなんだろう／言語と言語のあいだの中立地帯(ノーマンズランド)／外交翻訳／クラウド翻訳／数えてみましょう

ii
定義 21
翻訳(トランスレーション)を翻訳する／別のことば／翻訳が言語をつくる／あらゆるコミュニケーションは翻訳か？

iii
ことば、コンテキスト、目的 42
翻訳はことばの意味を訳すのか？／コンテキストのなかのことば／目的／字幕、戯曲、広告の目的

iv
かたち、アイデンティティ、解釈 62
アイコン／コミックスと詩形／アイデンティティ／ひとつの解釈

v
力、宗教、選択 90
解釈の帝国／遅効性翻訳／神のことば／聖なる本／さいなむ検閲／翻訳の重責／有力な選択肢

vi
世界のことば 118
ブック・トレード／公式ルート／グローバル・ニュースのハイウェイ／機械、規則、統計／メモリ、ローカリゼーション、サイボーグ／クラウド翻訳、非正規流通(アートレッグ・トレイル)、グローカル言語

vii
翻訳的文学 144
国民文学／多言語創作／トランスラテラチャー／翻訳の劇場／ふたつの未来

2冊目以降はこちら 171
日本の読者むけの読書案内 174
訳者解説 179
引用クレジット 190
図版一覧 191
索引 192

凡例
・†は原注、‡は訳注を示す。
・〔　〕は訳者による補足を示す。

i
交わる言語

翻訳ってなんだろう?

きみは学校にいる。ホワイトボードには外国のことばがならんでいる。課題はその文章を理解して、英語になおすことだ。先生はしかめっつら。時計がカチコチ鳴っている。陽の光が部屋に射しこんでいる。まちがえたら叱られる。

このテストは、翻訳という。

きみは17世紀の詩人、ジョン・ドライデンだ。きみは英語と同じくらいたくさん、ラテン語を読まされて育った。なかでも一番好きな詩人はウェルギリウスだ。自分でも詩をよく書くけど、同じくらいラテン語詩を訳したり、まねして書いてみたりする。でも、きみ自身の詩にも翻訳の要素がはいってくる。なぜなら、文章を書こうとすると、ラテン語と英語の単語やフレーズが頭の中で混じりあうから。1690年代になって、キャリアも終わりに近づき、きみはウェルギリウスの全著作を訳して、1冊の分厚い豪華本にまとめようとしている。新しい読者に、ウェルギリウスのすばらしさを少しでもわかってもらいたい。英文学をウェルギリウスの高みにまで押し上げて、立派にもしてやりたい。

これも、翻訳のひとつのかたちだ。

きみはイタリアのティーンエイジャーだ。友達とおしゃべりしている。世界中のどこでも見かける光景だけど、このグループは多言語で話すのだ。きみは Ma dai, non ci credo!（嘘でしょ!）と言う。フランス人の友達は Quoi?（なんだって?）と言う。きみは I not believe it と言う。きみの口をついて出た言葉は、イタリア語で言ったのと同じニュアンスじゃない。完璧な「標準英語」でもない。でも、友達には通じる。

これは翻訳かな?

きみは入院している。医者が、まじめくさった調子できみは TIA になったと言う。「つまり、transient ischaemic attack（一過性脳虚血発作）のことね」。えっ、きみは身を乗りだしてたずねる。「脳への血流が阻害されたけど、もう回復しています。ちょっとした卒中みたいなもの」。

これはどうだろう?——翻訳かな?

だれかがなにかを口にすると、かならず起こることはどうだろう? 私が書いたテキストをいまきみは読んでいるけど、なにが起こっている? わたしたちが知っている語彙は、少しずつちがうんじゃないかな? そしてそれを少しずつちがう風に使っているんじゃないだろうか? そのぐらいには、みんなちがった言語を話していると言えるのでは? 棒の逆の端を持ってしまって（getting the wrong end of the stick）、おたがいに誤解することの頻度からして、そんなの当たり前じゃないか?（ちなみに、きみが持ったのは棒のどちらの端だろうか?——「誤解する」の意味でとった人もいれば、「はめられる」

ととった人もいるね。〕

だとすれば翻訳は、外国語と呼んでいる言語と同じくらい、自分のものと思っている言語を話したり・書いたり・読んだり・聞いたりするときにも起こっていることになるね。

でもそうなら、なんで翻訳なんて言葉がいるんだろう？ 翻訳が普通にコミュニケーションするのと同じなら、なんでそんなものがある気がするんだろう？

さっきあげたみたいな、日常生活のちょっとした例だけでも、翻訳というものを語るなんて雲をつかむような話だとわかる。それについて考えてみるのが、いかに難しいか。おかげで、どこから手をつければいいかもなんとなくわかった。自分の言葉の、厳密かつ明晰な意味にこだわっていてもはじまらない——そうだな、日本語やフランス語みたいな別々の国の標準語のあいだでしか起こらないとか、方言同士や同じ言語の変種のあいだでは起こらないとか言ってみてもはじまらない。「真の翻訳」は、ソーステキストの「魂」をつかまえなきゃならないとか、反対に〔ウラジーミル・ナボコフみたいに〕なによりも語義上の精確さを追求すべきだとか言ってみてもはじまらない[†1]。その手の立場をとったとたんに、ものごとをおもしろくするあやのようなものを締めだしてしまうことになる——自分の領地だと主張しても、その場を探検で

---

†1 ナボコフはこの意見を、以下の翻訳と注釈で表明している。Alexandr Pushkin, *Eugene Onegin: A Novel in Verse*, 2 vols, rev. edn. (Princeton, NJ: Princeton University Press, 1975).〔以下の書籍にほぼ同じ内容のものが収録されている。ウラジーミル・ナボコフ「翻訳をめぐる問題——『オネーギン』を英語に」「奴隷の道」『ナボコフの塊——エッセイ集1921-1975』秋草俊一郎編訳、作品社、2016年、298-358頁。〕

きなくちゃ意味がない。

かわりに、翻訳だと見なしうる言葉を使ってなにをしているのか、その幅に目をやらなくてはならない。いかにもな例に思えるドライデン訳ウェルギリウスや学校のテストから、医者の説明みたいなそうでもなさそうな例もある。なにを翻訳と呼んで、なにを呼ばないのかがどう決まるのか、どんな種類の区別がどこに引けるのか、知らなくてはならない。地図が——地形の特徴がたくさん記入してある地図が要る。輪郭、境界、理論の泥沼。地図をスケッチするにあたって、地球上のさまざまな場所、世界史上のさまざまな瞬間の翻訳から、もっといろいろ実例をとりあげて見てみよう。

言語と言語のあいだの中立地帯(ノーマンズランド)

日本語と中国語は重なりあう。話しことばはちがうけれど、書きことばは多くを共有している。中国人が先に書きことばを発達させたので、日本語を書く必要が生まれたとき、中国の文字を借りてきてすませることにしたのだ。江戸時代(1603-1868)、そういった事情もあって、西洋の翻訳に似ているような、似ていないような営みが生まれた。古典中国語のテキストが、「漢文訓読」[‡1]というプロセスをへて解されるようになったんだ。カンブンクンドクがどういう意味か、ざっくり言えば、「中国語のテキストを日本語で読む」だ。ちょっとした中国語の文章を学者が検分して、

[‡1] 漢文訓読は当然ながら、江戸時代にはじまった営みではなく、奈良時代にはすでにおこなわれていた。東アジア文化圏における漢文訓読の普及については、以下の書籍がわかりやすい。金文京『漢文と東アジア——訓読の文化圏』岩波新書、2010年。また、日本語への漢語のとりこみは、書きことばにかぎった話ではないのはご存知の通り。

小さな記号をつけて、日本語で文字をどの順序で読めばよいか示す。こうすると、手ほどきをうけた人間なら中国語をしゃべれなくても、テキストを解するようになる。さらにもうひと手間かけて、漢字を日本語の語順に並べかえてやり、発音できるよう文字も加えてやる。こうするとテキストは、読み書きできるほとんどの日本人にわかるようになる[†2]。

漢文訓読は言語同士のあいだで意味を伝えてはいない。というよりも、自分には直接読めない文章がわかるようになる、中立地帯のようなものを生みだしている。「西洋での翻訳の役割とはまったくちがう！」——こう、びっくりするかもね。でも、本当にそうかな？ 今朝、ドイツ語のスパムメールをうけとったので、グーグル翻訳にほうりこんでみた。結果はこうだ —— in Germany alone there are around 25 million signs that help to make the road and to make safe for all road users（ドイツだけで、約2500万の標識があり、道路をつくる助けとなり、すべての道路使用者を安全にします）。個々の単語は正しい標準英語だけど、言いまわしと文法はドイツ語のままだ。ほら、漢文訓読といっしょで、文章はどちらの言語にもなりきれていない。

もちろん、グーグル翻訳はごく最近出てきたものだ。ときどき遊びでこんな風にへんてこでぎくしゃくした翻訳をつくってみる人は結構いる。でも実際、かなりの翻訳はこんな具合なのだ。こ

[†2] 漢文訓読は以下の文献で説明されている。Judy Wakabayashi, 'The Reconceptualization of Translation from Chinese in 18th-Century Japan', in Eva Hung (ed.), *Translation and Cultural Change: Studies in History, Norms, and Image Projection* (Amsterdam: John Benjamins, 2005), 121–45. 以下の文献も参照のこと。James Hadley, 'Theorizing in Unfamiliar Contexts: New Directions in Translation Studies' (unpublished PhD thesis: University of East Anglia, 2013).

の前、きみの言語が第1言語じゃない人と話したときのことを思い出してごらん。さっきのイタリアのティーンエイジャーみたいに、ことばの使い方は完璧じゃなかったろう——きみ自身だってたぶんそうだ。あわててやった翻訳はそうだし、一語一語対訳形式で入念にやった翻訳でも、同じような感覚はある。専門用語で言えば「翻訳調」といって、くっつけた言葉と言葉が、ふたつの言語のあいだで転んでしまうみたいなのを指す。

「翻訳調」は批判的に使われることもしばしばだ。「うまい翻訳じゃないな——翻訳調だよ」みたいに。でも、翻訳の言語はだいたい、翻訳されていない言語とはちょっとはちがうんだ。この違和が詩のもとになる。エズラ・パウンドの訳詩集『中国(キャセイ)』では、中国語と日本語を模して、英単語が並べられている。

> Blue, blue is the grass about the river（青青河畔草）
> And the willows have overfilled the close garden.（鬱鬱園中柳）
>
> 川辺の草、青々として
> 柳の枝は庭園に葉を広げる。†3

有名な例をもうひとつあげてみよう。ジェイムズ王訳聖書の文章のリズムは、翻訳元の言語であるヘブライ語とギリシャ語の影響があって、1611年に出版されたときには、ぎょっとするほどヘンだった。でも何世紀もくりかえし読まれているうちに、ジェイムズ王訳聖書の翻訳調は、多くの英語話者にとってなじみぶかい

---

†3 パウンドの詩は以下から引用している。*Collected Shorter Poems* (London: Faber and Faber, 1968).〔エズラ・パウンド「詩集〈中国(キャセイ)〉全篇」原成吉訳『パウンド詩集』城戸朱理編訳、思潮社、1998年、32頁。(枚乗「美しき化粧」紀元前140年)〕

ものになった。理想的な英語の文体だとする人もいたぐらいだ。

史上そして地上のいたるところで、翻訳が生みだした一風変わったことばが、国民文学のテクスチャーに織りこまれてきた。16世紀に数千というラテン語の語彙が英語になったのも、こうしたわけによる。19世紀初頭にドイツ語と古典語のあいだで、19世紀の終わりに日本語とヨーロッパ語のあいだで語彙のとりこみがあった。同じようなプロセスが、いままさにこの地球上のいたるところで起こっていて、英語は異文化間コミュニケーションに使われている。使っているのは、英語を第2、第3、第4言語にする人々で、立場とニーズに応じて英語をつくりかえているのだ。

これが私たちの地図のための最初の発見だ。翻訳はある言語から別の言語へとたんにジャンプするわけじゃない。言語を混ぜるという意味で、「言語を交わらせる」ものなのだ。ブルドッグとボルゾイを、バラのふたつの品種を掛けあわせるみたいに。

外交翻訳

時代は16世紀。場所は英国。エリザベス女王の宮廷に、オスマン帝国のスルタン、ムラト3世から手紙が届けられた。手紙はトルコ語で書かれ、スルタンの通訳(ドラゴマン)が、エリザベスと廷臣が読めるようイタリア語に訳していた。

ムラトは自分こそが世界を統べるものだとしたうえで、エリザベスをいち領主と見なしていた。ムラトの手紙は、エリザベスがし

図1 フランソワ=アンリ・ミュラール『ペルシャ大使モハンマド・レザー・ガズヴィーニー、フィンケンシュタイン城、1807年4月27日』

めした従属と献身についてのものだった(izhar-i ubudiyet ve ihlas)。そんな話をされてエリザベスがよろこぶはずがないと、ドラゴマンにはわかっていた。翻訳するうえで大事だったのは、言語のあいだで意味を伝えないことだった。伝えてしまえば、国家間の緊張は高まり、自分の首もとびかねない。ドラゴマンにとっては、コミュニケーションのルートを閉じないでおく翻訳、外交の車輪の回転を滑らかにしておく翻訳が大切だった。そこで、エリザベスが「従属」ではなく、忠実な友情(sincere amicizia)をしめしたと記したのだ[†4]。

調停したり対立を回避したりといった翻訳の機能は、外交交渉に欠かせない。図1はまた別の例だ。通訳・外交官のアメデ・ジョーベール(手のひらをこちらにむけている人物だ)が、ナポレオンと同盟を結ぼうと会見におもむくペルシャ大使ミールザー・モハンマド・レザー・ガズヴィーニーに助言している。欧州連合(EU)には24の公用語があるが、互いに通用してしまう言いまわしが議論の俎上にのぼるときには、同様の配慮がされるようになっている。戦闘地帯の緊迫した状況では、通訳のことばの選び方ひとつに命がかかっているのだ。

実際、翻訳のどの局面も、力と力のあいだの交渉なのだ。一方に伝える話や文章の内容があっても、他方に聞き手や読み手が知りたい内容があるとわかれば、どうしても伝え方は変わってくる。そこで、2番目の標定点が決まる。あらゆる翻訳は外交ぶくみだ。

[†4] Bernard Lewis, *From Babel to Dragomans: Interpreting the Middle East* (London: Weidenfeld and Nicolson, 2004), 29.

クラウド翻訳

西洋で「AD」とか「西暦」とか呼んでいる最初の数世紀のうちに、中国で仏教の聖典が訳された。基本的に、原本は存在しない。インドから来た僧は、スートラを暗記していた。そしてサンスクリットか、いくつかある仲介語のひとつで、少しずつ暗唱していった。言語・宗教の専門家が1000人もあつまって、一言一句解釈できるまで聞き、考え、議論した。それから結果を、筆を使って漢字で書いた[†5]。

このような場合、翻訳がふつうよりもややこしくなるのはよくわかる。僧の言葉は言語と言語のあいだだけでなく、発話から書記へと翻訳される。媒体(メディア)がちがえば、がらっと変わってしまう。音とイントネーションが消える。目に見えるかたちが生まれる。あいまいでなくなるところもあれば、そうなるところもある(これは英語でも、どんな言語でも同じことだ。she hit me with a scull〔彼女はオールでぼくをなぐった〕と読みあげてごらん。聞いてscull(オール)かskull(頭蓋骨)かわかるだろうか?)。翻訳は、言語同様、メディアを横断するものなのだ。字幕は現代の、ありふれた例だ。

仏典漢訳のモデルも、変に映るかもしれない。翻訳がひとりではなく、集団でされているからだ。だけど、実はそれほど変でもない。1611年、ジェイムズ王訳聖書をつくるさい、47人の学者があつまった。1680年、オウィディウスの『書簡集』の有名な翻訳は、ジョン・ドライデンと〔数名の訳者の〕「合作 several hands」に

[†5] Martha P. Y. Cheung (ed.), *An Anthology of Chinese Discourse on Translation*, vol. 1: *From the Earliest Times to the Buddhist Project* (Manchester: St. Jerome, 2006), 7–12.

よってなされた[†6]。より近年では、ジョイスの仏訳、プルーストの英訳は何名もの訳者が共同で手がけている。迅速な翻訳をうけおうウェブサイトでは、ふつう2、3人が組になって作業する。クラウド・ソーシングのプラットフォームは、多数のボランティアが共同で翻訳できるようになっている。オンライン・フォーラムに質問をなげることで、あらゆる訳者はシェアされた知識を活用することができる。機械翻訳のソフトウェアも、クラウド（集団）翻訳によっている。訳すフレーズに、しっくりくるものを、既存の翻訳を検索して見つけてくるのだ。

クラウド翻訳は、単純に大量のテキストを処理するうえで役立つ。しかしクラウド翻訳は、訳者が生みだす解釈のようなものにとってなにが大事なのか、教えてくれもする。ジェイムズ王訳聖書が委員会によって訳されたのは、分量が多いからだけではない。結局、聖書（その大部分と言ってもいい）は、聖ヒエロニムスや、ルターや、ティンダルによって個人訳されてきたからだ。委員会の訳者は、念頭においたコミュニティ（できたばかりの英国国教会）と自分たちの信仰に合うような訳文を捻出する必要があった。訳者たちは、国教会の教義も訳業にもちこんだ。己の信仰の声が告げるがままに、ソーステキスト[‡2]を訳したのだ。現代の機械翻訳も、読み手がOKを出すテキストの作成に尽力する。

実際、訳者はみな、訳文の受けとり手である読者コミュニティか

[†6] *Ovid's Epistles*, translated by several hands (London: Jacob Tonson, 1680).
[‡2] 翻訳研究では、訳される側を「ソース」（ソース言語、ソーステキスト）と呼び、訳す側を「ターゲット」（ターゲット言語、ターゲットテキスト）と呼ぶ。たとえば、日本語から英語に俳句を翻訳する場合、日本語はソース言語、英語はターゲット言語、対象となる日本語の俳句はソーステキスト、翻訳の結果生まれた英語のハイクはターゲットテキストになる。

らのプレッシャーを感じている。そして訳者はみな、他者との対話の中で解釈にたどりつく。英国詩人アレクサンダー・ポープは、ギリシャ語が堪能だった。しかし18世紀初頭に、独力でホメロスの『イリアス』を訳したわけではない。ギリシャ語の注釈書があって、英語、フランス語、ラテン語の翻訳がすでにあって、もちろん辞書もあった。訳者が複数のソーステキストにあたるのは常だ。ペン、紙、訳している本1冊と、訳者ひとりだけの現場はどうだろうか？ あるいは通訳ひとりだけの現場は？ そういった場合でさえも、その訳者なり、通訳なりの言語的知識は膨大なテキストや会話からなりたっている。そのうえ、訳者がかかげる翻訳の目的も、訳がむけられた人々が求めているものに影響されるだろう。この両方の意味で、あらゆる翻訳はクラウド翻訳なのだ（これが第3の発見だ）。

数えてみましょう

エリザベス・バレット・ブラウニングが名高いソネット「どのようにあなたを愛しているのでしょうか？ 愛し方を数えてみましょう」を発表したとき、それが翻訳かのようなふりをした。『詩集』（1850年）の巻末に収録された「ポルトガル語からのソネット」のうちの一編だ。そうしたのは内気さゆえのことであって、詩が個人的なものかどうか詮索されたくなかったのだ。しかし題名は、愛のソネットはつねにある意味で翻訳だということを示してもいる。なぜなら、ソネットは伝統的に単一の言語圏におさまらないものであって、どうしても借り物になってしまうからだ。英語最初のソネットは16世紀の、トマス・ワイアット卿によるペトラルカの翻訳だった。その愛のことばは、さまざまな言語の想いやイメージの

よせあつめだった。詩は訳せないと、よく言われる。実際、翻訳は多くの詩の根っこにある。翻訳は(ぱっと見では)、別々の国の伝統文学のように見えるものの真ん中にあるのだ。

最初の数ページのあいだに、いくつも予期せぬ事実を発見したのではないかな。翻訳は言語を交わらせる。翻訳はいつも外交ぶくみだ。あらゆる翻訳はクラウド翻訳だ。翻訳にはいろんな方法があるんだと、まさにわかってきたところだ——ほんとうにはじめの一歩。「翻訳」とされている言語行為がいくつあるのか、(さっと)数えあげてみたい。

翻訳は、書かれたり印刷されたりしたテキストを別の言語に移しかえるものらしい。おそらく、これが一番ありがちな考え方だろう。しかし実際には、翻訳は、いくつかのテキストからひとつのテキストをつくるものである——(ポープで見たように)訳者が先人の言語的接触の成果に頼らざるをえないからだ。翻訳は、書かれたテキストを話しことばに変えるものである。たとえば、音読をしているときに翻訳しているのならそうだ。話しことばを書きことばにもできる。中国の仏典の翻訳がそれにあてはまる。だれかの口ぶりを別の風に言いなおすことでもある。口頭での通訳がそうだ。そして、録音されたスピーチを別の録音されたスピーチにすることでもある(吹き替えのように)。セルやデジタルの字幕にしてもいい。デジタルテキストを別のデジタルテキストにもする。そう、外国のウェブサイトをひらくと、ブラウザはこうたずねてくるじゃないか——「このページを翻訳しますか?」。

翻訳は、手話と話しことばのあいだ、絵文字とアルファベットの

あいだ、印刷されたものとデジタル・マルチメディア・フォーマットのあいだを動く。翻訳はあらゆるものを相手にしてきた。たとえば、宗教書。詩、小説、戯曲もそうだ。取扱説明書、政治家の演説、外交交渉、法律書、学術論文、ジョーク、悪口、古代の碑文、宣戦布告、日常会話をも。

翻訳は共通する要素の多い言語（たとえば英語とフランス語）のあいだもつなげば、非常に遠い言語（英語とマレー語）もつなぐ。同じような書き方をする言語（日本語と朝鮮語）もつなぐし、そうでないもの（日本語と、アラビア語やドイツ語）もつなぐ。方言同士のあいだ（あるいは方言と言語のあいだ）、あるいは同じ言語のちがうことばのあいだもつなぐ（さっき医者がtransient ischaemic attack（過性脳虚血発作）を「ちょっとした卒中」に訳したみたいに）。翻訳をするのはひとりの人間だけじゃない。何人も、何百人もの人間が翻訳するのだ——機械でさえも。戦闘地域では生死をわける問題にもなれば、マルチリンガルな共同体では日常生活の一部になる。

上記の例はみな、翻訳の領分か、その周辺にある。どれもみな、あることばをほかのことばのかわりに使う。しかし、ひとつひとつは大きく異なるし、幅広い分野で起きている現象だ。地図上で翻訳のありかを特定したいのなら、ほかの言いかえの類いと翻訳がどうちがうのか、さぐってみなくてはならない。

ii
定義

翻訳(トランスレーション)を翻訳する

第1章で説明した、中国語を読み下す日本式の方法を漢文訓読と呼ぶが、英語読者がふだんtranslationという単語で呼んでいるものと、似たところもなくはない——すごく似ているわけではないけれど。世界各地の文化を調べてやれば、同じくどれもこれもちがうものが見つかるだろう。どの言語にも、translationに関係する言葉があるけれど、ぴったりとは重ならない。translationの完全な翻訳はないのだ。

古代中国の集団翻訳では、役割ごとにはっきりと名前がつけられていた。仏典を読みあげ、解釈する僧は「譯主」と呼ばれた(この語を中国人学者マーサ・チャンはpresiding translator(主導訳者)と訳している)。しかし、実際にはこの人物は訳してすらいなかった。というのも、この人物は中国語を知らなくてもよかったのだ。「度語」(直訳すれば「言葉を測るもの」)または「傳語」(直訳すれば「言葉を伝えるもの」)は、譯主の暗唱と説明を中国語に変える。そして「筆受」(直訳すれば「筆で受けるもの」)が、筆写された定本をつくった[†7]。そう、全体のプロセスは、英語話者がtranslationと呼んでいるものだ。これが、古代中国では別個の仕事の連なりとしてとらえられていたのだ。少し似ているのは、切断したり、運搬

[†7] Martha Cheung (ed.), *An Anthology of Chinese Discourse on Translation*, vol. 1, 7–12.

したり、接合したりして、橋を架ける共同作業だ。あるいは演じたり、演出したり、カメラをまわしたり、編集したりして、共同で映画を撮影することだ‡3。

ナイジェリア南東部のイボ語ではtranslationに近い言葉が2語あるが、はっきりした含意がある。

> tapiaは「話す」「語る」ことを指すtaという語源に由来し、piaは「破壊すること」「壊すこと」に由来し、全体として「それを壊して(別のかたちで)語ること」を意味する。kowaは同じような意味で、「語り、話すこと」のkoから派生し、waは「ばらばらに砕く」。イボでの翻訳は、語りとしてのコミュニケーションの生命力が重視され、ひとつひとつ再構築するというよりも、分解と変更をゆるすものだ。
> (マリア・ティモツコ『翻訳を拡大し、翻訳に力をあたえる』)†8

マレーシア、インドネシア、シンガポール、ブルネイで広く話されているマレー語では、translationに近いものと、遠いもの両方の語彙が存在している。近代になってからできた、translateの訳としてはもっとも近いtarjamaという語は、どちらかと言えば「説明する」「明確化する」の意味で使われる。言語横断のほかの方法を指す語もある。terkutipは「引用された」に近い。dituturkanは並べかえの気味が強くなる。terkarangは、「新しく書かれた」「つくられた」の意味に近い†9。

---

‡3 この仏典漢訳のプロセスを詳しく解説した書に、船山徹『仏典はどう漢訳されたのか——スートラが経典になるとき』(岩波書店、2013年)がある。本書の記述と、船山著では翻訳のプロセスの説明が多少くいちがっている。関心のある方はご覧いただきたい。
†8 Maria Tymoczko, *Enlarging Translation, Empowering Translators* (Manchester: St. Jerome, 2007), 71.

古代ローマでtranslationにほぼ該当する語彙は、かみごたえのあるスルメのように暗喩だらけだった。もっとも人口に膾炙していたのはvertereとconvertereだった。前者は近代英語のversionのもとになった語で、根っこの意味は「まわす」「掘って、地面をひっくり返す」。後者は英語convertのもとであり、第一義は「ひっくり返す」であって、軍事作戦で方向転換するときによく用いられた。さらに translation に該当する語として、exponere、explicare、exprimere、reddere、mutareがあり、それぞれ「あける」「ほどく」「しぼる」「なおす」「変える、変身させる」という意味があった。

後期ラテン語それ自体がイタリア語、スペイン語、ポルトガル語、ルーマニア語、フランス語といったロマンス語に変化していくなかで、translationという営みを語るうえで欠かせなくなった単語はほかにも生まれた。interpretariは、「説明する」とか「解釈する」。transferreは、「別の場所へとはこぶ」。traducereは「持ちこす」。名詞形がtranslatioのtransferreは、自分自身が英語に持ちこまれて、translationになった。

だが、translationという語が英語にすっかり根づいたあとでも、言語間の翻訳に意味が固定されたわけではなかった。16世紀の作家ジョン・ライリーはtranslating treeという言い方をしている。つまり、植えかえることだ。ジェイムズ王訳聖書の新約聖書に書かれているのは、メトシエラの父エノクは敬虔なあまり、神

定義

---

†9 Ronit Ricci, 'On the Untranslatability of 'Translation': Considerations from Java, Indonesia', in Ronit Ricci and Jan van der Putten (eds.), *Translation in Asia: Theories, Practices, Histories* (Manchester: St. Jerome, 2011), 58.

が天国に直接translateしたということだ。現代の生物学では、translationは細胞の中でプロテインが合成されるプロセスを指している。他方で、translational science（橋わたし科学）と言えば、発見を実用に供することを指す。

『ファイナンシャル・タイムズ』のある号には、次のような見出しがつけられていた。「ロスト・イン・トランスレーション──FRBの金融政策を解釈することの陥穽」。ここでtranslationは、有力者がもらす曖昧な情報をもとにして経済予測をすることのむずかしさをあらわしている。『クロックフォード聖職者人名簿』の第100版（2007年）によれば、ステップニーの前主教のトレヴァー・ハルストンはモーリシャス主教にtranslate（転任させら）れた。おそらく、言語間翻訳以外の意味で、translationの一番よく知られた使い方は、シェイクスピアの『夏の夜の夢』にでてくる。織工ボトムが身体の一部をロバに変えられてしまうのだ。友人のクインスは思わずこう叫ぶ。

> Bless thee, Bottom, bless thee!
> Thou art translated.
>
> （第三幕第一場、118 - 119）

> ああ、ボトム、かわいそうに！ おまえ、そんなかわいそうな姿になっちまって。[‡4]

ここでtranslatedは、大まかに言って「肉体的に変身させる」という意味で使われている。しかし、言語のあいだの翻訳と、とき

---

‡4 ウィリアム・シェイクスピア『シェイクスピア全集 夏の夜の夢』小田島雄志訳、白水Uブックス、1983年、65頁。

たま生まれるそのへんてこな結果をも指している。シェイクスピアはアーサー・ゴールディングの英訳でオウィディウスの『変身物語』を読んでいた。さまざまな面ですばらしい翻訳だが、読んでいて少々気なることもある——言葉数が多く、冗長なほどなのだ。おそらく、ゴールディングのロバの歩みのような韻文のおかげで、シェイクスピアはロバへのtranslationを思いついたんじゃないか。しかし、シェイクスピアが言語内翻訳のことも考えていたのはまちがいない。ボトムがass（ロバ）に変身させられたのは、bottom（尻）という語がarse（オケツ）と訳せるからだ[†10]。

translationにぴったりな訳語がないシンプルな理由とややこしい理由がある。シンプルなほうは、あらゆる語にはぴったりな訳語なんてないからだ。第3章で見ていくように、異なる言語同士は、一語一語正確に対応するものではない。translationということばはイタリア語のtraduzioneとは少しちがうし、漢文訓読とはかなりちがう。breadがpaneとはちがって、日本語のパンとはさらにちがうのと同じだ。だけどtranslationは、この一般的な真実を語るのにはことさら深長な例でもある。これが、ややこしいほうの理由になる。なぜなら、translationと呼んでいる営みは大きく変わってきたので、translationということばもあわせて伸びたり縮んだりしてきたのだ。translationという語はいまだに「翻訳」されつづけている。ボトムのようにかたちと意味を変えてきたのだ。変化がおこると、ほかのことばがどっと押しよせてきて、translationをつきあげ、自分の領土を主張するのだ。

定義

[†10] 'to translate'のライリー、シェイクスピア、その他による用法は以下の書籍で議論されている。Matthew Reynolds, *The Poetry of Translation: From Chaucer & Petrarch to Homer & Logue* (Oxford: OUP, 2011), 1–8.

別のことば

会議の席上や、法律論議での、口頭での通訳という意味でのinterpretingを考えてみよう。これはtranslationの一種だろうか? 関係するけれど、別の営みかな? トリエステにある有名な「通訳者・翻訳者のための高等研究院」では、名称から判断するに、2番目の見方をとっているようだ。しかし第1章の終わりで、口頭でのinterpretingもtranslationの一種だと言ったところで、別にびっくりするようなことでもない。学生が一語一語に訳語をあてた「あんちょこ」をつくったとして、それはtranslationだろうか? ちがう? literalという語についてはどうだろう? 古典学者ドナルド・カーネ=ロスがホメロスの『イリアス』の緻密な訳文と解説を作成したことがある(それを下敷きにして、詩人クリストファー・ローグが『戦争音楽』という題で韻文の詩形のversionを書いたのだ)。これはどうだ? このliteralな訳文を、完全なtranslationだと認めるのはむずかしそうだ。というのも、それ自体で英語のテキストとして読めないからだ。他方で、ローグによるversionは、おそらくはtranslationそのものには当たらないだろう。なぜなら、完全に英語につくりなおされてしまっているからだ。ソースからはなれて、新しい素材を呼びこんでいる。

字幕や吹き替えは、まさに典型的なtranslationの例のように見える——ところが、こうしたものにはプラスアルファの、タイミングや口パクのような技術的な側面もある。これらは、一般的な翻訳の概念の外にある。ほかには、ウェブサイトの多言語対応をとってみよう。多国籍企業が、ウェブサイトをさまざまなマーケットにうまく合わせることだ。言語を翻訳するだけでなく、デザイ

ンやコンテンツ、バンド幅要件などなども変更しなくてはならない。これはきわめて総合的なタイプの翻訳なのだろうか? それとも翻訳プラスなにか、別のプロセスなのだろうか?

translationはずっと、re-writingや、re-arrangement、explanationといった別のことばと、ややこしい関係にあった。格好の例が16世紀にある。この時代、印刷技術の導入によって、突如本が安く、容易に手にはいるようになった。新たに、おびただしい人々が読書可能になったのだ。この需要に応じるため、大量の翻訳が印刷出版されるようになった。宗教改革期に、ルター、ティンダル、ブルチョーリ、ランペルールらによって、ヨーロッパの世俗語に翻訳された聖書が、広く普及した。信者にとっては、聖書の翻訳が忠実かどうかは死活問題だった。また印刷出版のおかげで、翻訳をソーステキストとくらべたり、ほかの翻訳とくらべたりしやすくなったせいもある。翻訳をめぐる問題(正確か、工夫されているか)が、にわかに焦点となったのだ。translationをマッピングするうえで目印になる別のことばが、英国で生まれた。metaphrase(逐語)、paraphrase(釈意)、imitation(模倣)である。

1680年、150年あまりつづいた論争のあとで、すぐれた詩人にして翻訳家のジョン・ドライデンは議論をまとめた。

> すべての翻訳は、この三つの題目にまとめるのがよいと思われる。
>
> 第一は、逐語(metaphrase)のもの、すなわち著者を語単位・行単位で、ある言語から別の言語へと翻すことである。たとえば、この手法に近いのがベン・ジョンソンの訳になるホラーティウ

ス『詩論』であった。第二の道は、釈意(paraphrase)のもの、すなわちゆとりのある翻訳で、その場合、著者はけして見失われぬよう翻訳者によって目の届くところに置かれるが、その言葉は想念ほどには厳密に辿られず、また敷衍は許されても改変はされない。この種のものが、ウォラー氏によるウェルギリウス『アエネーイス 第四巻』の訳である。第三の道は、模倣(imitation)のものであり、この場合、翻訳者は(このとき当人がその名を失っていなければの話だが)ある自由を身にまとう。それは言葉や想念からの逸脱だけでなく、その両方を時に応じて捨て去ること、さらに原典から何か漠とした手がかりだけを取り出して、思うままそれを下地に変奏することの自由だ。この種のものとして、ピンダロスの頌歌をふたつ、ホラーティウスのものをひとつ英語へと翻したカウリー氏の実践がある。

(ジョン・ドライデン「オウィディウス『書簡集』への序文」)

ドライデンの時代と現代では、用語がいちいちずれてしまっている。現在、metaphraseではなく、word-for-wordかvery literalな翻訳と言う。paraphraseはいまでは言語間の翻訳ではなく、ひとつの言語内での言いかえを一般的には指す。ドライデンがimitationと呼んでいるものを指すのには、いまはversionが普通使われる。それにもかかわらず、この一節はいまだに強い影響力を保っている。翻訳理論のアンソロジーにくりかえし収録されている。「ドライデンの翻訳の三分法」は、いまなおこの分野のよい見取り図になっている。

しかし、本当におもしろいのは、ドライデンがみずからの定義を、自分自身の翻訳にすら適用できなかったことだ。この抜粋でドライデンは、一語でカバーするには翻訳の実態はあまりに多種多様だとしたうえでなお、以下の3つならやりぬけられるとした。metaphrase、paraphrase、imitationだ。しかし、自分の過去

の翻訳をふりかえってみると、3つのことばがどれもぴったりこないものがあるではないか。いわく、ラテン語詩人のユウェナリスやペルシウスの風刺詩の自分の英訳は、「paraphraseとimitationとのあいだ」である。そしてドライデンの訳業の最たるものであるウェルギリウス『アエネーイス』の英訳は、「paraphraseとmetaphraseの両極端のあいだ」ということになる[†11]。

ほかの言語でtranslationにぴったり重ならない語と同じように、英語で競合する語と同じように、translationという語自体の幅と同じように、ドライデンの定義でも結局はtranslationを括るのは無理だったとわかる。言語は複雑なものだ。翻訳がそのソース、翻訳者、読者と結びつく方法も数えきれないほど多様だ。つまり、私たちの地図は、温度の変化、湿度、風などで変化する、天気図のようなものとしてあるべきなのだ。あるテキストをtranslationと呼ぶとき、その意味は（あとの章で触れる）いくつものファクターによって決まる。歴史上の位置づけ、政治的立ち位置、なんのジャンルについて話しているのか、コンテキストと目的、重視する特徴などだ。最終的には、これがtranslationの厳密な訳語がない理由だ。かわりに、translationという語は、再記述・再叙述を意味する一群の語彙のなかに座を占めている。re-stating、re-writing、paraphrase、interpreting、漢文訓読、exprimere、tarjamaなどなど。荒天を流れていく雲のように、あらゆる語が重なりあい、混じりあい、ぶつかりあっている。

定義

[†11] John Dryden, *The Poems*, ed. Paul Hammond and David Hopkins, 5 vols (London: Longman, 1995–2005), i, 384–5, and iv, 446; John Dryden, *The Works*, ed. E. N. Hooker, H. T. Swedenberg, Jr, et al., 20 vols (Berkeley and London: University of California Press, 1956–2000), v, 329–30.〔大久保友博「近代英国翻訳論──解題と訳文 ジョン・ドライデン 前三篇」『翻訳研究への招待』7号、2012年より一部改変を施して引用。〕以下も参照のこと。Reynolds, *The Poetry of Translation*, 73–4.

翻訳が言語をつくる

translationという語のもつ、この融通無碍な性質、千変万化な翻訳性をすべてもってしてもなお、ことばの真の意味でtranslationなるものが存在するという考え方をふりはらうのは難しそうだ。この考え方は、translationが「意味」と呼ばれるなにかをとりだして、「言語」と呼ばれるなにかから、「言語」と呼ばれる別のなにかへと移すというイメージを伝えている。このイメージに名前をつけてみたい――「厳密に定義された翻訳」。

この、「意味」をめぐる疑問には、第3章でもういちど戻ってこよう。さしあたっては、「言語」と呼ばれるものについて考えてみたい。

知りあいのだれかにばったり会うところを想像してごらん。おそらく、きみがだれか、どんなシチュエーションかによって、なんと言うか―― helloか、hiか、morningか、greetingsか、wotchaか、how're you doing? か、heyか、awriteか、yoか、eyupか、g'dayか、ciaoか、salutか、bonjourか、coucouか――決めるだろう。どのことばも大まかには同じ意味だ。ならば、どれもがお互いの大まかなtranslationだ。この章の前半で見つけた、translationの流動的な意味ではそうだ。でも、ほとんどのひとは、bonjourはhelloの翻訳でも、hiは本当の翻訳ではないと考えるだろう。それに結局、bonjourはフランス語で、helloは英語だ。ふたつは別々の言語だ。翻訳は、ことばの真の意味では、言語間の障壁を越えていくものだ。

だけど、この障壁は正確にはどこにあるのだろう?

ジャック・デリダは有名なエッセイ「バベルの塔」で、「バベル」のような固有名詞は、英語や仏語をはじめとしたさまざまな言語で同じ形だと指摘している。ゆえに、言語同士を完全にわけるのは無理なのだという[†12]。デリダが注目したかったのはどうやら、別々の言語と見なされているもののあいだで膨大な語彙が共有されているということのようだ(わずかな綴りのちがいや発音のずれがあることが多いにせよ)。〔原文の〕この段落で私がつかっている単語には、フランス語でもほぼ同一の対応語がある。identical-identique、paragraph-paragraphe、pronunciation-prononciation、minor-mineur、language-langage、distinction-distinction、complete-complète、establish-etablir、impossible-impossible、different-différent、Babel-Babel、nouns-noms、proper-propres、entitled-entitulés、essay-essai、celebrated-célébré。

定義

もちろん、綴りと発音は少しはちがうが、それがどれだけの障壁なんだろう? みなが自分固有のアクセントと、声音をもっている。英国内でも出身がちがえば発音はヘンに聞こえる。フランス出身のひとの発音も話は同じだ。綴りにかんしても、ここ300年そこらのあいだにヨーロッパで固まったものにすぎない。印刷物や、学校の作文とか政府の書類みたいな、文書による形式ばったかたちのコミュニケーションを求められるようになってからのことだ。人々の実際の綴りは(コンピュータになおされないかぎり)、大

---

†12 デリダの「バベルの塔」論は以下の書籍に、ジョーゼフ・F・グラハムによる英訳とともに掲載されている。Joseph F. Graham (ed.), *Difference in Translation* (Ithaca, NY: Cornell University Press, 1985), 165–207 and 209–48.〔ジャック・デリダ「バベルの塔」高橋允昭訳『他者の言語——デリダの日本講演〈新装版〉』高橋允昭編訳、法政大学出版局、2011年、1-58頁。〕

きなぶれがあるし、ちょっとした英語の文章を読めば、distinctionやimpossibleといった語にまじって、paragrapheや、prononciation、langage、essaiとかの語にしょっちゅう出くわすのはわかりきったことだろう。綴りのぶれは、現行のルールブックに照らせばまちがいだろうが、英語話者が使ったり、理解したりするのをやめさせることはできない。

もちろん英語は、もっと距離のある言語(たとえばロシア語、ズールー語、ベンガル語、北京方言(マンダリン)など)とも同じように重なるわけではない。しかし、こういった言語にも近い言語があって(それぞれポーランド語、コサ語、アッサム語、広東語)、それぞれ重なりあう。言語は、海に浮かんだ小島のようにばらばらに分布しているわけではない。砂漠にできた砂の波紋のようなものだ。一面に広がったなかから、ある種の用法がまとまって砂丘のようななにかになり、まわりの砂丘からきわだって見えるようになる。しかし、実際はたゆまぬ変転の中にあって、そのかたちに移ろっているにすぎない。

言語内部の区別にしても同じことだ。挨拶語の列挙にもどると、私自身はsalutとかciaoにくらべても、yo (あまりに若者じみている) とかeyup (ヨークシャーっぽすぎる) とかはあまり言わない。前者が仏英辞書、伊英辞書のほうにでてくることばだとしてもだ。言語内も、言語間も境界はしっかりしたものではない。障壁になるのはむしろ、表現の習慣や方法のほうだ。ずっと日常会話をくりかえすタイプのオンラインゲームを例にとってみよう。言語ユーザーは自分がいる状況にうまく合うように、ことばやその組み合わせ方をいちいち変えていく。皮肉だったり、愉快だったりする場

面では、まさにyoとかeyupとか私も言ってみたくなることもあるだろうし、フランス語話者も場合に応じて、ciaoとかholaとかhelloとか言うだろう。

こういった多種多様な状況を勘案すると、どうして人々はお互いに理解しあえるのかと思う。答えはこうだ。どうことばを使ったらいいか、互いに求められているものを推し量ってそれにしたがう術に、私たちは長けているのだ。オフィスとパブでは話し方もちがう。こどもと大人に話しかけるときもちがう。葬式とヘン・パーティでもちがう。インスタント・メッセージと、パワーポイントの発表と、長編小説では書き方がちがう。さまざまな状況で、なにが求められているかは厳格に規定されている。医者や弁護士になるための訓練では、特殊な語彙を、用法のルールもセットにして学ぶ。きみが読んでいるこの本は、オックスフォード大学出版会をはじめ学術出版社がもとめるフォーマルな語法にしたがって書かれている。辞書や文法書、礼儀作法とセットの学校教育では、さらに広範なルールが課せられる。これは概して、言語の正しい、標準的なかたちという概念を芽生えさせる。すでに、綴りの標準化については見てきたが、ほかの領域についてもそうなのだ。標準語を管轄する機関は、どの単語がきみの言語に属していて、どれがそうでないかを教え、それをどう組み合わせるのが正しいかを教える。これこそ、標準英語の話者が、二重否定を使ってはいけないと(おそらくは)信じている理由なのだ。

学校や、辞書などといった目に見える影響源の背後に、政治的、経済的な権益がある。基本的に、国家は言語の標準化を推し

定義

すすめる。こういうことわざがあるぐらいだ――「言語とは、陸軍と海軍をもった方言である」。立法や徴税は、みなが同じように書き、話せば、ずっと楽になる。言語はまた、集団のアイデンティティに欠かせないものでもある。言語の均一化を推しすすめ、人々が愛着をもてば、愛国主義を涵養できる。

「厳密に定義された翻訳」という考え方は、言語の標準化も前提にしている。ある言語の意味をとってきて、別の言語に移すなんて考えるには、それぞれの言語の境界線や、語彙、文法の意味がしっかりわかっていないと無理だ。実際、「厳密に定義された翻訳」という考え方には、標準語が欠かせない。そのあまり、既成品が見あたらない場合には、その創出過程に介入すらする。

1990年代初頭、ユーゴスラヴィアは力ずくでばらばらにされてしまった。かつてユーゴスラヴィアの一部だった地域は、おのおの別々の国家として自立する必要にせまられた。そこで、それぞれが自分自身の言語を欲しがったのだ。問題は、ボスニア人、クロアチア人、セルビア人の話す言語がお互いに理解可能で、その境界線がまだ引かれていなかったことだ。しかし、1995年にデイトン和平合意がこの三者間の和平の枠組みをつくると、内容を3つの別々の言語と見なしうるもの（プラス英語）でなんとか書かなければならなかった。北大西洋条約機構（NATO）が主導する平和安定化部隊（SFOR）言語局のメンバーのルイーズ・アスキューは、訳者チームがいかにこの難題に対処したかを語っている。

　政治的な観点から、（ボスニアの、ほかすべての国際協同組織と同様）

> 平和安定化部隊の言語ポリシーは、非常に似通った3言語で書類と翻訳を作成することで、ボスニアで反目しあう民族の政体のそれぞれに注入されることになった。翻訳された文書の大半はパブリック・ドメインになるため、言語学的な観点からも、それぞれの通訳チームのメンバーが、3つの標準語をつくりだすことに関与したことになる。特にボスニア語が問題だった。言語学者のあいだで、標準語をどう制定するかについてまさに現在進行形の議論がされていたからだ。ボスニア語のためにつくられた正書法、辞書、文法などなどはつねに一致するわけではないこともあり、平和維持部隊の司令部の言語局では、クロアチア語版やセルビア語版に対して、ボスニア語版を実際どうすればいいのかということをめぐって、つねに長時間にわたる議論がなされていた。†13

この条約は、領土分割だけでなく、言語分割の取り決めでもあった。デイトン合意はかなり極端な例だ。しかし、言いかえ行為を「翻訳」として提示すればもれなく、それぞれが別々の言語だという考え方を助長することになる。さもなくば——前提からして——なぜ翻訳が必要なのか？ コルシカ語の話者はみな、フランス語もしゃべることができる。そのため、フランス語からコルシカ語に本が訳されても、読める人が増えるわけではないが、コルシカ語が独立した言語だという意識を強めることにはなる。キルメン・ウリベによるバスク語の小説『ビルバオ−ニューヨーク−ビルバオ』が、カスティーリャ・スペイン語、ガリシア語、カタルーニャ語に一度に訳されたのも、同様の議論が成りたつ。1844年までさかのぼると、ウィリアム・バーンズが自作『ドーセット方言で書かれた詩集』を、「国家言語として選ばれた方言」に自分

定義

---

†13 Myriam Salama-Carr, 'Interpreters in Conflict—The View from Within: An Interview with Louise Askew', *Translation Studies* 4.1(2011), 103–8, 106.

で訳している。そのさい、標準英語を、通常は「方言」と見なされるドーセットシャーの言語のレベルにおくことで、バーンズは、同じ目的のためにあべこべの主張をしている。1700年には、ジョン・ドライデンが『カンタベリー物語』の一部を近代英語にした——あるいは、ドライデンが言うところでは、「チョーサーを英語に訳した」。ドライデンは、チョーサーが用いた未発達な道具(メディア)とはまったくちがう、洗練された英語で書くことこそがその名に値するという、自分の主張を押しだしている[†14]。

これぞ、翻訳が言語の創出に手を貸す例だ。第6章では、翻訳が言語の分解を助長するケースを見ていく。

あらゆるコミュニケーションは翻訳か？

いままで見てきたように、「厳密に定義された翻訳」という考え方は、唯一の、特別に規定された翻訳を指す。他方で、広義の翻訳(私はこれを「翻訳性(トランスレイジョナリティ)」と呼んでいる)は、多種多様な伝達行為にまたがり、言語間のみならず、言語内をもつなぐ。そろそろ、最初の疑問にもどってもいいころだ。「あらゆるコミュニケーションは翻訳か？」。

ジョージ・スタイナーは、有名な著作『バベルの後に』(1975年)で、この見方を採用していた。スタイナーはこう宣言する。

　すなわち、形式的に見ても、実際にも、コミュニケーションのあ

[†14] William Barnes, *Poems of Rural Life in the Dorset Dialect: With a Dissertation and Glossary* (London: John Russell Smith, 1844), 11–12; Dryden, *Poems* v, 80.

らゆる場面において、[……]必ず翻訳が含まれている、ということである。理解するとは暗号の解読であり、意味を聴き取るとは翻訳することである。

手短に言えば、「人間のコミュニケーションは翻訳に等しい」[†15]。証拠として、スタイナーは、過去500年間、連綿と書きつづけられてきた文学作品を引用していく。シェイクスピア『シンベリン』、ジェイン・オースティン『分別と多感』、ダンテ・ガブリエル・ロセッティのソネット、ノエル・カワード『私生活』。スタイナーが指摘するのは、現代英語話者がこういった作品を理解しようとすれば、かなりの解釈をしなくてはならないということだ。『シンベリン』の独白から数行を引用してみよう。

> ... that most venerable man, which I
> Did call my father, was I know not where
> When I was stamp'd

> おれがおやじと呼んでいたあの立派な老人も、
> おれが作られたとき、はたしてどこにいたものやら
> 知れたものじゃない。[‡5]

定義

最初に目につくヘンな点は、近代英語のwhoのかわりに、whichという代名詞が使われていること、I calledとかI used to callとかのかわりに、I did callという動詞のかたちが使われてい

[†15] George Steiner, *After Babel: Aspects of Language and Translation* (1975; 3rd edn., Oxford: OUP, 1998), xii, 49.〔ジョージ・スタイナー『バベルの後に――言葉と翻訳の諸相（上）』亀山健吉訳、法政大学出版局、1999年、xv, 98頁より、一部改変を施して引用。〕ここでの議論は以下の拙著での考察によっている。*The Poetry of Translation*, 9-11.
[‡5] ウィリアム・シェイクスピア『シェイクスピア全集　シンベリン』小田島雄志訳、白水Uブックス、1983年、85-86頁。

ることだ。どちらの用法でも、チョーサーがドライデンをはっとさせたように、シェイクスピアは私たちをはっとさせる。シェイクスピアのことばを理解するためには、元のことばを新しい語彙ではどう訳すのか——whichをwhoに翻訳する、などなど——という知識がいる。

venerableとstamp'dについて考えるときにも、同じようなプロセスをへる。それぞれの語は、近代での主な意味である、「年をとった」や「強く足を踏む」といったニュアンスをすでに持っていた。しかし、ほかの意味のほうが前面に出ていたようだ。venerableは、現在よりもveneratedやreveredの意味にちかい。一方、硬貨に像を刻印するという意味が、stamp'dという語では顕著だった。ここでも、翻訳はことばの完全な理解を助ける役割をはたしている。しかし、最初に見た2例（which、I did call）ほどではない、柔軟な役割だ。私たちはwhichがwhoの意味であると言えたようには、venerableがナントカの意味だとは言えない。

シェイクスピアの文章で、意味が現在と大きくずれない、ほかの単語全般についてはどうだろう？——I、know、where、not、when、was、call、fatherといった語だ。もちろん、外国語に訳すみたいに、こういった語をほかの英語に訳してみてもいい。fatherは男性の親であるとか、Iは話者が自分自身を指すときに使う代名詞であるとか言いかえてみてもいい。しかし、なんでそんなことを？ Iとかknowとかwhereとかnotとかwhenとかwasとかcallとかfatherとかはもうまったくあたりまえの語だ。翻訳して読む必要はない。

こうした語の理解も翻訳の一種だと言うことに意味があるとすれば、あらゆる語を翻訳しなくちゃならない秘密の言語かなにかを想定している場合だけだ。この考え方では、「意味」と呼ばれるものは、それ自体言語の一種であって、単語を理解するうえで、「意味」に翻訳する必要がでてくる。しかし、実際に理解とは翻訳のいちプロセスだとして、どうやってその「意味」を理解しているのだろう？ またその意味を翻訳しなくちゃならなくなりはしないか。さらにまたその意味を。さらにずーっと。この構造は無限に反復される。コミュニケーションが「翻訳に等し」くない理由はかんたんだ。ことばをただ知るだけで人は理解するからだ。

実際、思考と言語の関係は、まったくもってややこしい。私たちは自分が知っている言語のことばの中で考えることもある。まったくことばを使わないで順序だった思考にふけっているように思えるときもある。言語からはあまりに隔たったように思える感情にとらわれることもある。アイデアがたんに浮かぶこともある。こうしたさまざまな未分化なプロセスと、言語とのあいだを行ったり来たりする行為を指して、「翻訳」の語をそれでもなお使うかもしれない。しかし、もしそうだとしても、自分が比喩的に話しているのを忘れちゃいけない。こういったケースで、翻訳は「ほかの語のかわりに語をもちいること」を意味していない。

スタイナーの例は、興味深いことに、スタイナーが証明したかったものとは別のなにかを教えてくれる結果に終わった。翻訳はコミュニケーションではない。そうではなく、コミュニケーションの・・一部なのだ。翻訳に手を伸ばすのは、理解のさまたげになるよ

定義

うなものにぶつかったり、眼前の語が理解の範疇に完全にはおさまらないとわかったりしたときなのだ。このことからも、私たちの言語環境は、実際には一枚岩のものなんかではないという重要な事実がわかる。

この前の節で見たように、「厳密に定義された翻訳」式の考え方は、個々の言語が独立したものだという認識を助長する。公用語は政府の後ろ盾があるのが普通だ。「翻訳」がこういった言語のあいだでしか起こらないものだとしたら、同じ公用語を使っている人々は、そんなものなくてもお互いに理解できるので、翻訳を必要としないことになる。しかし、実際にはみなてんでばらばらに言語を使うので、つねに誤解の余地がある。

だれかのことばの意味が端的にわからなければ、言いなおしてくれ（すなわち翻訳してくれ）とたのめばいい。関連する知識がないのかもしれない。たったいま、コーヒーメーカーのところにいる同僚がこう言った——「そいつが会社を大きくして、IPOした」。私は翻訳してくれと頼まなければならなかった（IPOは「株式市場に上場する」の意味だとわかった）。

きみは別の地域や、社会的コミュニティに属してもいるかもしれない。最初、息子がa sick eveningを過ごしたと言ってきたとき、息子がOKだとわかるには翻訳が必要だった（sickは若者ことばで、自分のような世代の人間がcoolとかwickedとか言っていたものにあたる）。あるいは、きみは階級や支持政党で分断されているかもしれない。だれかにとってのscab（スト破り）は、別の人にとってはhard-working employee（勤勉な労働者）になる。

40

これが、こういった言語上の齟齬を翻訳として見ることが重要な理由だ。「厳密に定義された翻訳」説のように、広義の翻訳のほうも逆説的な効果をもっている。つまり、しきりにまたがることで、そのしきりを意識させるというものだ。翻訳は、私たちのあいだのちがいを見る(あるいは尊重する)のを助けるのだ。学校の宿題の紙に、I done it (やった)と書きつけるこどもを、直してやる必要なんてない。翻訳を手伝ってやればいいのだ。

iii
ことば、コンテキスト、目的

翻訳はことばの意味を訳すのか？

英語のhouseという語を例にとってみよう。辞書を引けば、このことばを訳すなんてわけなさそうに思える。ドイツ語ではHaus、フランス語ではmaison、イタリア語ではcasa、現代ギリシヤ語ではσπίτι、中国語の北京方言(マンダリン)では房子だ。家は世界中のどこにでもあり、それを指す語もほとんどの言語にある。こういった語はみな大まかには同じ定義でくくれる——「人間が居住するための建物」という。言語学者なら、同じ「提示的意味」をもつと言うだろう。

さて、scone (スコーン) という語をとりあげてみよう。小麦粉と卵でつくられる英国のお菓子で、クロテッド・クリームとジャムをそえて、紅茶と一緒に食されることが多いおしゃれなスイーツだ。英独辞書をひいてみると、あまり訳語の種類は多くなく、説明がしてある—— welcher, oft zum Tee gegessener kleiner Kuchen (小さくてやわらかいケーキ、紅茶といっしょに食べることが多い)。もっと短いが、ほかの辞書も似たようなものだ。英仏辞書ではpetit pain au lait (ミルクでこねた小さいパン)。英伊辞書ではfoccaccina da tè (紅茶のための小さなパン)。英希辞書ではείδος γλυκίσματος (お菓子の一種)、そのあとに書かれた2語はクッキーや菓子パンを指すようだ (βούτημα, κουλουράκι)。英中辞書では烤饼 (焼いたビスケット)。

houseにくらべても、スコーンは英国文化に特有のものだ。だから、ほかの言語は同じ提示的意味をもつ語をもともと持っていない。かわりになるぴったりした語を見つけるのはやや骨が折れる。かんたんそうに見えるのは、ただ英語のことばのまま書き写しておいて、意味を注で説明するか、コンテキストから類推できるようにしておくというものだ。ギリシャ人が英語のスコーンについて話すときには、είδος γλυκίσματοςよりもσκονのほうを使う傾向がある。中国人も同様に、「スコーン」を部分的に音訳した語の「司康餅」を使うこともある。これが、ある文化特有のもの（専門用語で「レアリア」と言う）を指す語の多くが、ほかの言語で借用されている理由だ。飲み物や食べ物を指す語の多くが借用語だ。spaghetti（スパゲッティ）、curry（カレー）、moussaka（ムサカ）、camembert（カマンベール）、whisky（ウィスキー）、limoncello（リモンチェッロ）……。とはいえ、飲食物だけではない。hijab（ヒジャブ）、schadenfreude（シャーデンフロイデ）、fjord（フィヨルド）なんかもそうだ。

しかし、もういちどhouseを見てみよう。houseは本当にそこまで普遍的なものだろうか？ 英語のhouseを考えてみると、思い浮かべるのはわらぶきのコテージや、郊外のテラスハウスや二戸建て住宅だろう。コテージは骨組みは木造だ。テラスハウスとセミはレンガ造りでスレートぶきかもしれない。しかし、ギリシャ語のσπίτιはたぶん見た目がちがうだろう。壁は白いしっくいで塗られ、窓には鎧戸があり、陸屋根になっているかもしれない。言語学者は、このように単語ごとに喚起されるイメージのことを指して専門用語で「プロトタイプ」と呼んでいる。同じ提示的意味をもつ語も、異なるプロトタイプを含意することがある。

提示的意味とプロトタイプはことばがもつ意味の、ふたつの面にすぎない。ほかにいくつもの意味があり、さまざまなラベルを貼られている。「表出的意味」や「暗示的意味」は、ことばに付帯する感情を指す用語だ。たとえ同じ建物を指していても、that's my home と言うとき、that's my house とはちがうなにかを意味している。差の一部は提示的意味だ。home は恒久的な、不断の居住地であるのに対して、house はそうでなくてもいい。しかし、より重要な差は感情だ。house は感情に訴えかけないが、home はぬくもりや懐かしさの感情を呼びおこす。

言語がちがえば、この感情のあつかわれ方もちがってくる。英伊辞書を引けば、casa が house の訳語だと書いてあるだろう。しかし、イヴニング・パーティーがおひらきになって、英国人の私が I'm going home と言うときに、イタリア人はここでも casa を用いて、torno a casa と言うだろう。この場合、casa は house でも flat でもいい。home が喚起する感情が、主な意味なのだ。もっと強い感情や、ホームシックの場合は、また別の語が使われるだろう。英国人の 10 歳のこどもが、遠足でさんざんな目にあっているところを想像してみよう。疲れきって、お腹も減って、べそをかいている。こどもは I just want to go home!（おうちに帰りたいよ!）と言う。同じ状況でイタリアのこどもは casa に帰りたいと言うかもしれない。しかし、べそをかいてこう叫ぶほうがありそうだ──voglio tornare dalla mamma!（ママのところに帰りたいよ!）

この日常の例が示しているように、語と意味の関係はとてもややこしい。「意味」にもいろいろある。それは、いままで使ってきた（提示的意味や表出的意味、プロトタイプのような）専門用語で区別される

が、そういったカテゴリー同士の関係はこみいっていて、境界線はあいまいだ。ひとつの言語内でさえ、語の意味は別の状況で使われているうちにずれてしまう。別の言語に訳されれば、ちがう意味がよりはっきりとあらわれる。アラビア語には、私たちがhomeやhouseと呼んでいるものを指す別々の意味がある。بيتは、ある場所で夜をすごすという事実を強調する傾向があり、دارとمنزلは住居だけでなく、家族や一族を指す。もし私がدارはhouseを指すと言えば、この2語の意味のへだたりを軽視していることになる。とにかく言えることといえば、دارはhouseの訳語のひとつであって、その逆もまたしかりだということだ。

そう、翻訳はことばの意味を翻訳しない。少なくとも、ある言語の語の意味をとりだして、別の言語で同じ意味をもつ語をあてがうという感じではない。sconeのように、多くの単語に、他言語の一単語とは対応しない提示的意味がある。ゆえに翻訳者は、なにか次善策を講じ、ソース言語の厄介な単語に説明を加えたり、あるいはシンプルにその単語をひっぱってきて翻訳側の言語に放りこんだりする。さらにありがちなのは、提示的意味がそこそこ重なる語が見つかるというものだ。しかし、そのような場合でさえ、表出的意味やプロトタイプはおそらく異なる。翻訳者は、同じ「語彙集合」(関連する意味をもつ語のグループ)に属するほかの単語を参照してもよい。そのなかから、ソーステキストの単語が喚起する意味全体にうまくあうものを探すのだ。状況が変われば、casaは、houseとも、flatとも、apartmentとも、placeとも、homeとも訳してもしっくりくるだろう。しかし、いくらしっくりきても、どこかにずれが生じるのは避けがたい。

ことば、コンテキスト、目的

コンテキストをたよりにして、語の(少なくとも大きく外れない)正しい意味にたどりつく読者だってめずらしくない。実際、私たちは、知らず知らずのうちに、この手の調整をいつもおこなっている。アルジェリアを舞台にした本を読んでいるのなら、主要人物が住んでいるhouseは、英国式ハーフティンバーで、わらぶき屋根で、張り出し窓で、ドアを藤が覆っているということはなさそうだと察するだろう。小説家クリスティン・ブルック゠ローズは、多言語小説『あいだ』のなかで、翻訳のこのような面をからかっている。英国人の主人公は、バチカンの司祭がcottageにぴったりなイタリア語をさがすのを手伝う(主人公の女性がローマ・カトリック式の婚姻関係を破棄するため、2人は複雑怪奇な手つづきをこなさなければならず、フランス語を共通語として使っている)。

> —Un cottage? Que voulez-vous dire, un cottage?
> —Hé bien, mon père, une toute petite maison, à la campagne. [...]
> Un cottage. The pale fat priest-interpreter looks over his half-spectacles made for reading the sheafs of notes before him. Un piccolo chalet. Va bene così? Un piccolo chalet?
> —Va bene. Un piccolo chalet in Wiltshire.

「コテージ? コテージとはなんだ?」
「司祭さま、この国の小さな家をそう呼びます」[……]
「コテージ」太った司祭=通訳は青ざめて、半レンズの老眼鏡ごしに眼前の書類の束に目を通す。「小さなシャレー。これでいいかい? 小さなシャレーで?」
「それでいいです。ウィルトシャーの小さなシャレー」[†16]

[†16] Christine Brooke-Rose, *Between* (1968), in *The Brooke-Rose Omnibus* (Manchester: Carcanet, 1986), 417–18.

「シャレー」が「コテージ」と同じ意味ではないなんて、わざわざ言うまでもないだろう。英語話者にとっては、シャレーがウィルトシャーにあるというのはなんとも言えず妙なのだ。実際にはchaletはイタリア語ですらない。しかし、司祭に必要なのは、イタリア語話者にも通じる「この国の小さな家」の意味だけなのだ。司祭が書く文書の読者は、このコンテキストのなかで、スイスの建物ではなく、英国の建物のchaletを自分で想像しなくてはならない。

コンテキストのなかのことば

chaletの例では、ことばの意味がそれがでてくる文のせいで変わってしまっていた。これはあらゆるところで、あらゆる言語でおこる。翻訳するさいに大事なのは、ある語がそれ自体の中に内包する（だろう）観念的意味ではなく、眼前の文章のなかでの意味である。いくつか例をあげてみよう。

> I'll run away（私は逃げだすだろう）
> I run a company（私は会社を経営していた）
> I'll run some tests（私はいくつか検査をおこなうだろう）
> I'm running for office（私は公職選挙に立候補している）
> My stockings have run（私のストッキングが伝線した）
> The ad will run in the paper tomorrow（この広告は明日の新聞に載ります）
> I'm going to run some errands（私はいくつかお使いにいくだろう）
> Let me run you a bath（きみのために風呂に湯をためさせてくれ）
> You're running a risk!（きみは危険を冒しているぞ！）

それぞれの文章で、runが意味するものはかなりちがう。この語

をほかの言語に訳そうとすれば、単語がいくつも必要になるだろう（たとえばフランス語ならそれぞれ s'enfouir、diriger、mener、se présenter、filer、être publié、faire、faire couler、courir が使われる）。翻訳者は語を単独であつかえばいいのではなく、句、文、段落、章、本全体といった言語の長いつらなりを相手にしなくてはならない。こういったより広いコンテキストに適合する訳語が、最善手になる。

これだけヴァリエーションがあるにもかかわらず、「run はフランス語で courir だ」と言いたくなる。より一般化すれば、「ある言語でXを指す語は別の言語ではYである」と言ってしまいがちだ。学校で言語を学ぶとき、ことばの意味をひとつずつ書きだした単語リストを覚えるのはよくある方法だ。小ぶりの二か国語辞書も、ある単語に一語しか対応する語をあげない。こうした慣例のせいもあって、ある語が別の語を「意味する」と、つい言ってしまうことになる（たとえば、courir の意味は run だとか）。語彙を効果的に増やすにはぴったりだが、このような簡略化は誤解の元だと肝に銘じておいたほうがいい。私たちは courir の意味を手にしてはいないのだ。かわりに、私たちは、（すべては不可能だが）種々様々な状況で courir を訳すのに使える語を学習する。オックスフォード英語辞典のような分厚い辞書や、WordReference.com のような巨大なオンライン・リソースには、さまざまな文章の中でさまざまな意味になる run の例があげてあって、もっと豊かなイメージがわいてくる。しかし、言語使用の実際はもう少しだけこみいっている。語はつねに新しいコンテキストで使われ、そこで新しい意味を身に着けると、別な風に訳さねばならなくなるからだ。

50年前、言語学者のJ・C・キャットフォードは、翻訳についてあるモデルを考案した。それは、上に述べたような真実を理解するうえで、いまだに非常に有用だ。翻訳とは、意味と呼ばれているものをある言語から別の言語に移すのではない。むしろ、「ある状況において、交換可能な」ことばを見つけるのだ。イタリア人がtorno a casaと言うときに、英国人である私はI'm going homeと言うように[†17]。

このような翻訳の見方は、あれこれの文法事項のちがいにどうあたればいいのか、考えるうえで助けになる。文法は、語よりも多様でさえあって、言語と言語がきれいに対応しない原因にもなっている。英語には、単数と複数がある。古典ギリシャ語には(そしてアラビア語やイヌイット語などの近代語にも)、文法上のかたちとして単数、複数、双数の区別がある。古典ギリシャ人がきみとἀδελφώがけんかしていたと書いたなら、兄弟は2人だったとわかる。名詞の語尾がἀδελφοίに変化したなら、3人以上だとわかる。こういった言いまわしを翻訳するのは単純に無理だと考えてもいい。たんにbrothersと言えば、ニュアンスは失われるし、かといってtwo brothersと言えば(あるいはmore than two brothersと)、表現の機微をやぼったくしてしまう。キャットフォードの説を使えば、どちらの選択が状況にぴったりか自信をもって選べる。もし数が大事そうなら、two brothers。そうでなければ、たんにbrothers。

英語はギリシャ語よりもフランス語に近い。しかしここでも文法

[†17] J. C. Catford, *A Linguistic Theory of Translation* (Oxford: OUP, 1965), 49.

で、世界のあり方はがらっと変わる。イギリス人のこどもがwhen I'm big I'll be happyと思うとき、現在形と未来形をいっしょにつかう。フランス人のこどもは同じ夢を見て、全部未来形で言う——quand je serai grand je serai heureux。時間を記述する際に生じる多様性の一例だ。句をつくるとき、名詞か動詞かで差がでることもある。英語ではwhen I get backと言うとき、フランス語では、おそらく動詞を名詞にして、à mon retour（帰ったら）と言うだろう[†18]。キャットフォードのアプローチの長所が、もっともよくでるのが句の表現だ。「イディオム」と呼ばれる決まり文句は特にそうだ。イディオムは、それを構成する単語の意味を合わせたものとはかけはなれた意味を、全体として発達させたものだ。break a legはgood luckを意味しない。そうではなく、ある状況では、break a legはgood luck!のかわりに使えるのだ。イタリア語のin bocca al lupo!（直訳すれば「オオカミの口のなかで」）は、同じようにgood luck!のかわりに使える。

あらゆる言語にはイディオム的な性質が浸透している。イディオムは、その極端な発露である。英語では、thoroughly forbiddenやcompletely forbidden、severely forbiddenよりも、strictly forbiddenと言うことが多い。なぜこの2語の組み合わせなのか、文法や意味上の理由はない。ほかの言語では、また別の語が選ばれる。フランス語ではおそらくformellement interdit。ドイツ語ではstreng verboten。イタリア語ではseveramente proibito。こうしたフレーズを英語に訳しもどさなくてはならないとしたら、どうすればいい？ 単語ひとつひとつの辞書に載ってい

[†18] フランス語にみられる名詞への偏向は以下の文献にくわしい。J. P. Vinay and J. Darbelnet, *Stylistique comparée du Français et de l'Anglais* (Paris: Didier, 1973), 103.

る意味にしたがうのがせいぜいだろう。すなわち、大半のコンテキストで、外国語の単語に当てはまるような英語を使っておくことだ。つまり、formally forbiddenやstringently forbidden、severely prohibitedといった訳になる。この種の翻訳は普通literalと呼ばれ、さまざまな点で便利だ。たとえば、言語間の差異を強調したいとき。あるいは、キャットフォードの説にならって、英語で一般的に同じ状況で使えるフレーズだからという理由で、strictly forbiddenと訳すこともできる。これは通例freeとかidiomaticとか呼ばれる種類の翻訳だ。

「意味する」という概念は、この翻訳の解決法にあうだろうか？ formellement interditは、formally forbiddenを意味すると言った方がいいのだろうか？ それともstrictly forbiddenを意味すると言った方がいいのだろうか？ さて、私たちが「意味する」と言うとき、実際にはその意味を提出しているわけではないことを思い出そう。私たちにできることはせいぜい、英語のことばを出して、他人の理解をあてにするだけなのだ。理解してくれなければ、もっとことばを費やしてもいい（おそらく説明というかたちになるだろう）。しかし、「意味」それ自体はけっして手にすることはできない。formally forbidden は、formellement interditという言葉の翻訳だと言っておくのが、説明としてはまだましだろう。それに対して、strictly forbiddenは「発語」か「発話行為」の翻訳だ。すなわち、そのフランス語が使用されて、為していることを訳すのだ。

私たちはいつも、辞書に載っている意味とはかけはなれた風にことばを使っている。この場合、コンテキストがすべてだ。いま

読んでいる本のうえにカップのコーヒーをぶちまけてしまって brilliant! と言ったとしよう。この場合、辞書に載っているどんな定義も私は意味していない。damn! の辞書的な定義（くそっ！）にずっと近いなにかを意味する発話を、私は口にしているわけだ。

手紙の末尾にそえる言葉は、さらに定型化した例だ。sincerely yours と書くとき、私はなにか特別の献身や忠誠を言い立てているつもりはない。たんに標準的な定型句を用いて、手紙を終え、つづいて署名を書くための発話行為を完遂している。この句のイディオム的なフランス語訳は sincerity（忠実）とは一切関係ない。おそらく、bien à vous になるだろう。イタリア人ならまずまちがいなく cordiali saluti と書くだろう。中国人なら「此致 敬礼」と書くだろう。

翻訳とは、「状況に応じて交換可能」なことばを提供するものという考え方は、まったく異なるフレーズがお互いの翻訳として見なせる理由を説明してくれる。それにもかかわらず、キャットフォードの定義は万能ではない。翻訳が翻訳するものをめぐる疑問は、これにとどまらない。

目的

モリス・リングに翻訳者として雇われたと仮定してみよう。モリス・リングは英国の伝統ある、剣をもちいたモリス・ダンスのクラブである。以下の文章を他言語に訳すようたのまれた。jig というダンスを踊るためのインストラクションだ。

Pull up your socks (no wrinkles).

Check your bell pads are secure (we all have had a loose set of bells around our ankle). If this happens, make light of it —you could try shaking your foot to dislodge the bell pad and announcing that you have made up a new dance. If this fails, indicate to your muso to stop playing (if he has not already done so because he cannot play for laughing), remove the bell pad and place it beside your hat. DO NOT throw it away. Ask your muso either to start again from the beginning, or from a suitable point before the incident. In this way your confidence will be restored.

Check your hat is in good condition.

Make sure that your shoes, hankies and tabard / baldrics are clean, if not, SWAP them.

Leave your tankard behind.

靴下をたくし上げること（しわがないように）。
ベルパッドがしっかりついているかをチェック（くるぶしのまわりにゆるんだベルがかならず一組はある）。ゆるんでいても、あまり気にしないように。足を振ってベルパッドを振り落とし、はじめからもう一度踊ることに決めたと宣言すればいい。もしうまくいかなかったら、ミューゾに演奏をやめるように指示する（すでにやめていたら、思わず吹き出してしまっているせいだ）。ベルパッドをとりのぞき、帽子の横に置くこと。**けっして投げ捨てないように**。ミューゾにはじめからやってくれるように頼むか、ことの前のちょうどよい切れ目からやりなおしてくれるように頼むこと。こうすれば、自信がとりもどせる。
帽子が変になっていないかチェックすること。
靴、ハンカチ、タバード／飾帯が清潔かどうか確認すること。そうでなければ、**交換**すること。
タンカードを背後に置くこと。[†19]

[†19] モリス・ダンスのインストラクション「ジグ——備忘録」は以下からとった。<http://www.themorrisring.org/sides/jigs-some-thoughts>, accessed 25 September 2015.

ことば、コンテキスト、目的

どれだけの知識が前提とされているかわかるだろうか。jigとはなにか。どこにbell padsをゆるまないようにつけるべきなのか。musoとはだれか。hatが置かれるべき場所はどこか。hankiesと、tabard / baldricsと、tankardとは正確にはなにか。そして、それらをどう使うべきなのか。

個々に検討すると、上記のような点はそれぞれに厄介で悩ましい。前節で考察したsconeにも似ている。モリス・ダンスの用語はそれぞれ、英国文化に特有なもの（おまけに、英国文化の特殊な分野）、つまりちょっとした「レアリア」を指している。すでに見たように、他言語でうまく対応するものを見つけるのは骨が折れるケースが多い。こうした語の翻訳は、その英単語をまるごと説明するか、借用するか、あるいはその双方が必要となりがちだ。

しかし文章をまるごと訳そうとすれば、また別の難題にぶつかる。こうした語はみな、あるはっきりした状況に属している。実際、語彙のおかげで状況が存在できているのだ。モリス・ダンスはこうした語彙なしには成り立たないだろう。そして、状況全体を考えてみても、ほかの文化で近いものがあるとは思えない。おそらく訳文を読んだところで、シナリオ全体を思い浮かべて飲みこむのは難しいのではないか（イギリス人でもモリス・ダンスのマニアでなければ当惑するだろう）。

モリス・ダンスの例がしめすのは、「ある状況で交換可能」な語を見つけるのが翻訳だという考え方に欠陥があることだ。状況が所与のものではないなら（すなわちそれがすぐに理解できるようなものでないなら）、状況それ自体を翻訳したほうがいいのでは？ キャ

ットフォードが想定していたのは、シンプルで容易に再現可能な状況のようだ。たとえば、キャットフォードの説明によれば、パキスタン北西部のブルシャスキー語にはbrotherやsisterにあたる語はないという。かわりに、ブルシャスキー語話者は、話者と同性の兄弟姉妹を指してa-choと言い、別の性の兄弟姉妹を指してa-yasと言う。キャットフォードが指摘するところでは、brotherとa-yasは同じものを指しているとは言えないが、状況によってはなお交換可能である（たとえば、女性が自分の兄弟を紹介するような場合では）[†20]。この種の状況はどうもややひねりがなさすぎるように思える。自分がそこにはいっていって、自分のことばで紹介をおこなう様子をイメージしやすい。

しかし、モリス・ダンスの状況はちがう。日本語訳者やトルコ語訳者だったらどうだろう。日本やトルコの同じ状況で使われる語を探そうとするだろうか？　状況自体を翻訳しなくてはならなくなるはずだ。手段はいろいろある。訳者は、あちこちちがうのは仕方ないとしても、まあ多少はモリス・ダンスと共通する状況（たぶん日本の「オドリ」やトルコの「ハライ」から）を探してくるだろう。それからjigの準備は、（tabardやbell-padもふくめて）イメージされなおす。残った部分は新しいコンテキストにふさわしいアクセサリーで置きかえられる。この手の文化的置きかえは児童書の翻訳では珍しくない。

しかしこの手の置きかえは、翻訳を依頼したモリス・リングが意図したものではなさそうだ。あくまで大切なのは、自分たちのダンスがどういうものかということだ。対象読者次第で変わる要求に、訳者はどう応じるのか。翻訳が、英語は話せなくとも、モリス・

ことば、コンテキスト、目的

[†20] Catford, *A Linguistic Theory of Translation*, 39.

ダンスについていくぶん知識のある人にむけられたものなら、訳者は専門用語はそのままにして、ページ上の語を訳すだけでもいいだろう。しかし、モリス・ダンスを知らない新しいオーディエンスに伝えたいのなら、しなければならないことはほかにある。bell-padそのほかは、解説して（おそらくは写真をそえて）わかるようにするべきだ。本文におりこむか、注を加えるか、いずれにせよ一般的なモリス・ダンスの説明を多少加える必要があるだろう。

翻訳されることばの「状況」（あるいはコンテキスト）は、どう訳すべきかを決定するだけではない。翻訳の目的も同時に大切だ（この「目的」という考え方は、ドイツの理論家ハンス・フェアメーアが論じたこともあり、それにならって「スコポス」と呼ばれることもある）。翻訳はその目的に応じて大幅に変わる。あまりにあたりまえのことなので、普通それを意識すらしないのだ。

字幕、戯曲、広告の目的

映画やテレビ番組の字幕の目的は、視聴者にダイアローグを追ってもらうことだ。よくあることだが、早口でしゃべる人物がいると、一語一語字幕をつけるのが間に合わなくなってしまう。映像と合わせる必要もあればなおのことだ。場面の切りかわりに合わせたり、画面にかかりすぎないようにしなくてはならない。フランスの刑事ドラマEngrenages（連鎖）は、Spiralというタイトルで英訳された。そのワンシーンで、早口の警部ロール・ベルトーがこう言う──Il ne nous manque que l'addresse dans le seizième où le taxi l'a prise──c'est une question d'heures（彼女がタクシーを拾った16区の住所が見つからないだけ──これは時間の問

題ね)。字幕はこうなる―― We'll soon have the address where the cab picked her up (彼女がタクシーを拾った住所はすぐ手にはいるわ)。視聴者は、字幕に制限があることや、それがなんのためにデザインされているかを暗黙のうちに知っている。台詞が一語一語訳されないのを、当然のこととして受けいれている。

翻訳が、(人口に膾炙した、ゆるい定義を使うなら)逐語訳になるか、意訳になるか、(前章で議論した、ドライデンの用語を借りれば)よりmetaphrase的になるか、よりparaphrase的になるかは主に目的次第だ。翻訳が実現しようとするある種の自由さや、厳密さにも、目的が関係する。戯曲翻訳の一番の目的は、パフォーマンスとぴったり合うことであって、劇的な効果を狙ったものになりがちだ。アイスキュロス『アガメムノーン』のトニー・ハリソンによる訳文は、1981年にロンドンのナショナル・シアターで上演されたものだが、劇の冒頭で見張りの男が口をひらくとすぐに、朗々としたリズムが響きわたる。

> No end to it all, though all year I've muttered
> my pleas to the gods for a long groped for end.
> Wish it were over, this waiting, this watching,
> twelve weary months, night in and night out,
> crouching and peering, head down like a bloodhound,
> paws propping muzzle, up here on the palace...[†21]

[†21] Tony Harrison, *Theatre Works 1973–1985* (Harmondsworth: Penguin, 1986), 190.
〔参考までに『アガメムノーン』の既訳をあげておく。
　　神さま、お願いします、どうかこの苦役からのお解きはなちを。
　　見張りの番も、はやまる一年、目をさましたり眠ったり、
　　アトレウス御殿の屋根を抱いて――まるで犬だ――
　　　　夜な夜なの星屑どもの寄り合いも、見あきてしまった。
アイスキュロス「アガメムノーン」久保正彰訳『ギリシア悲劇全集1』久保正彰・橋本隆夫訳、岩波書店、1990年、4頁。〕

ことば、コンテキスト、目的

対照的に、アラン・H・ソマースタインによる英訳は、ローブ対訳古典叢書のためのもので、原典のギリシャ語読解を補助するのを一義としてつくられている。

> I beg the gods to give me release from this misery—from my long year of watch-keeping, during which I've spent my nights on the Atreidae's roof, resting on my elbows like a dog, and come to know thoroughly the throng of stars of the night…[†22]

1877年にさかのぼると、詩人ロバート・ブラウニングが、また別の目的のために翻訳を刊行している。ブラウニングは読者に、アイスキュロスがいかに独特で、難解な作家か、ヴィクトリア時代の英国と古代ギリシャがいかにちがうのか、わかってもらおうとした。

> The gods I ask deliverance from these labours,
> Watch of a year's length whereby, slumbering through it
> On the Atreidai's roofs on elbow,—dog-like—
> I know of nightly star-groups the assemblage.[†23]

同じソーステキストからの翻訳でも、まさに千差万別だ。目的に応じて内容も変化するからだ。

広告は非常にはっきりした目的をもっているのが常だ。つまり、売ること。自然、その翻訳でも目的が重要な役割をはたすことになる。2011年、〔英国の〕飲料会社イノセントは、新しいオレンジ

[†22] Aeschylus, *Oresteia*, tr. Alan H. Sommerstein (Cambridge, MA, and London: Harvard University Press, 2005), 5.
[†23] Robert Browning, *Poetical Works*, 16 vols (London: Smith, Elder & Co, 1888–89), xiii, 269.

図2 イノセントの飲料の広告「イノセントのしぼりたて」

ジュースのブランドを立ちあげて、図2のような広告をうった。

鍵となるのは、イノセントというブランド名、ロゴマークについた天使の輪、ボトルのかたちだ。それだけではない。オレンジはカットされた部分とともに笑顔に見立てられている。広告ではjuicy（この語にはエロティックな意味もある）とsqueeze（この語はジュースをつくるためにオレンジを絞ることだけでなく、恋人をも意味する）の語呂合わせを使って、良質なユーモアとほどほどのセクシーさの刺激を、ブランドにまとわせている。

数年後、同じ製品がフランスで発売になったとき、広告キャンペーンを翻訳しなくてはならなくなった。イノセント（innocent）はフランス語でも英語でも同じ語だったということもあり、ブランド名、ボトル、ロゴ、イメージはまったく同じものが使われた。しかし、

図3 イノセントの飲料の広告のフランス語版「愛をこめてしぼりました」

図4 イノセントの飲料の広告のフランス語版の別ヴァージョン Paris jus t'aime

あの大事な大事な語呂合わせは？ squeezeとjuicyは直訳したのでは同じ効果は出ないだろう。そこでフランス語のキャンペーンは、図3のような別の方針をとった。

pressé avec amour（愛をこめてしぼりました）の刺激は穏当だ。しかし、語呂合わせをやっているのは、添えられたちょっとした注だ。jus-réはjuréを連想させ、後者は訳すとしても、こどもが遊び場で言うようなこと、せいぜい「ぜったい大丈夫」ぐらいだろう。jusを使った遊びは、同じキャンペーンのほかの広告でも図4のようにつづけられている。

ここで、jus t'aimeの字面はje t'aime（愛してる）とほとんど同じだ。この文句は英語の広告とはまったくちがう。しかし、かもしだす雰囲気や、その背後にある目的の訳出には、大成功している。

iv
かたち、アイデンティティ、解釈

アイコン

イノセントのフルーツジュースのボトルの前面にプリントされた絵も、ボトル自体も翻訳の必要はない（図2·3·4を参照）。イギリスからフランスに運ぶだけでいい。それでもこのふたつは重要な意味をもっている。普通のジュースとはちがうかたちのボトルは、一流ブランドの特製品であることを伝えている。ラッパ型にすぼまった首元はワインのカラフェに似ていて、大人っぽさと趣味のよさのふくみがある。カットされた部分とならべたオレンジの画も、目を思わせる点がふたつ、環境的な意味での「無害(イノセンス)」に通じる緑色の輪っかがついて顔のようになっている。このイメージはメールの顔文字のようにも見えるし、オレンジで顔をつくるのは、こどもっぽくもある。このような若々しさは洗練されたボトルのかたちとユーモラスにまじりあって、幅広い層の消費者に製品をアピールしている。

上記のような連想は、フランスでも英国と同じようにはたらく。しかし、かたちとイメージは、翻訳なしにどこでも了解可能なものではない。むしろ、フランスと英国の文化に共通点が多いがゆえのことだ。ワイン、ほかのフルーツジュース、携帯電話、環境保護、こどもらしさのイメージ、天使の輪を生んだ、キリスト教的なイコノグラフィの伝統文化。サウジアラビアのような、イスラム圏のアラビア語を話す国にボトルが運ばれたらどうだろう。キ

リスト教の象徴は見慣れないものになり、ワインを飲むことは違法行為なため、ことばだけでなく、画やボトルのかたちすら翻訳しなくてはならないだろう。

記号論の専門用語では、画や形の意味は「慣例的」ではなく「図像的(アイコニック)」と呼ばれる。山の画は山のように見える。それに対してmountainという語が「山」を意味するのは、その音と文字の組み合わせをそう使おうという英語話者の合意があるからだ。

「図像的」と「慣例的」ははっきりとわけられるものではない。図像を理解するためには、ある程度の学習や合意が必要になる。赤は危険を意味するが、それは炎の色だからだ。しかし、炎は赤一色ではない。橙色、黄色、そのあいだの無数の中間色。赤をえらび、特定の意味を付与するのは社会的な慣例なのだ。社会的慣例によって、赤が危険を指すのは、標識や関連するコンテキストに限定されている。赤いTシャツを着ている人がいたからといって、危険だとか思ったりはしない。イノセントのドリンクボトルでの図像と慣例の混在と似ている。ボトルはカラフェに似ていて、オレンジの上の輪は光輪に似ている。しかし、このかたちにワインや聖性のふくみをもたせたのは文化なのだ。

それでも、イメージはことばよりも、広く理解される。図像的な意味、慣例的な意味を結びつけるサイン・システムはシンプルで、国際的な言語だ。ジュネーヴに本部をおく国際標準化機構（ISO）制定のサインは、164か国にまたがってつかわれている。空港や観光地で目にすることがあるだろう。図5は図像的な意味から、慣例的な意味までを並べてみたものだ[†24]。

図5 国際シンボル記号

「飛び込み禁止」のサインは非常に図像的だ。これを理解するには、飛び込みがどういうものか知っていて、シンプルなイメージのスタイルを読めればいい。くらべると「非常口」のサインはあまり具体的でなく、コンテキストに応じて解釈してやらなくてはならない。もしこの図が防空壕の外にあれば、「入口」を指すだろう。このサインの使用は建物内部にかぎり、意図を周知するという国際的な合意がある。「インフォメーション」の標識はさらにずっと慣例的だ。ISOはインフォメーションにぴったりなイメージを考案できなかったにちがいない。そこで、英語とほか数か国語の関連語の頭文字をとったのだ。そうでない言語の話者は、informationという語それ自体と同じように、サインを翻訳し、学習しなくてはならない。

書きことばには、エジプトのヒエログリフや漢字のように、図像的な要素が強いものもある。北米のアルゴンキン族、イロクォイ族、スー族によって使われていた言語もそのひとつだ。速度はうずまきであらわされ、戦争はバツ印で、繁栄は縦線に横線を3本引いたものであらわされる……などなどといった具合だ。

---

†24 *The International Language of ISO Graphical Symbols* (Geneva: ISO Central Secretariat, 2013), 15, 18, 22.

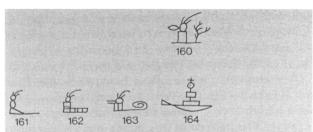

Great Beaver was sachem, remaining in Sassafras land
White-Body was sachem, at the Shore
Friend-to-all was sachem, he did good
He-Makes-Mistakes was sachem, he arrived with speed
At this time whites came on the eastern sea

図6 アルゴンキン族による、17世紀の北米の白人入植者の説明。ゴードン・ブラザーストンによって転写され、ブラザーストーンとエド・ドーンによって訳されたもの。

図6はレナペ=アルゴンキンの『ワラム・オールム』からの抜粋である。これは、歴代首長と、その功績を記したもので、16世紀と17世紀のあいだにつくられたもののようだ(本物かどうかについては議論がある)。ゴードン・ブラザーストンの英訳では、英語の構造にピクトグラムのかたちをこだまさせている[†25]。ひとつのシンボルには各1行がわりあてられ、1行はふたつにわけられている。

英語が、象形文字のかたちの痕跡をわずかでも引き受けうるという事実は、図をともなわない言語にも図像的な要素があることを教えてくれる。中国語やそれに類する言語では、文のトピックは文頭に置かれるのが普通だ。

---

† 25 Gordon Brotherston, *Image of the New World: The American Continent Portrayed in Native Texts* (London: Thames and Hudson, 1979), 51–2.

那	棵	樹	葉子	大、所以	我	不	喜歡
Nà	kē	shù	yèzi	dà, suǒyǐ	wǒ	bù	xǐhuān

あの樹は葉が大きい、だから私は好きではない[†26]

英語では形容詞や副詞がどの名詞や動詞を修飾するのかは、語と語の位置関係によって決まる。I swim in the still lake は、I still swim in the lake とはまったくちがう意味だ。対照的にラテン語では、語形変化で語と語が結びつくので、より自由に並べることができる。ウェルギリウスの詩を例にとってみよう。

maioresque cadunt altis de montibus umbrae
[greater and fall high from mountains shadows]

高い山々から落ちる陰は、ますます長くなっている。[‡6]

(「牧歌」第1歌、84行)

maiores (より大きくなる) は umbrae (陰) にかかり、altis (高い) は montibus (山) にかかっている。上の英訳よりもこなれた感じに訳すなら、たとえば、and longer shadows are cast by high mountains であって、ことばの見た目の配列は変更せざるをえないだろう。

コミックスと詩形

私たちはいつも、言葉でかたちやパターンをつくっている。新聞

[†26] 中国語の文章の例は以下の書籍からとった。Mona Baker, *In Other Words: A Coursebook on Translation*, 2nd edn. (Abingdon: Routledge, 2011), 154.
[‡6] ウェルギリウス『牧歌/農耕詩』小川正廣訳、京都大学学術出版会、2004年、10頁。

の見出しはこちらの注意をぐっとひきつけるが、それは大きく、太字で印刷されているからだ。ウェブサイトは色やアニメーションをつかって視線をスクリーンまわりに誘導する。いま、きみが読んでいるこの小さな本でさえ、章見出し、節見出し、段落わけできみの読書を階層化している。言語におけるこの手の組み立て上の要素は、概して訳すのはさほど難しくない。それでも、ちょうどボトルのかたちがちがうみたいに、文化ごとに変わってくるのも事実だ。書記システムがちがえば、文字もちがう方向に読む。アラビア語は右上から書きはじめ、右から左へとすすむ。中国語は右上から書きはじめ、上から下へとすすむ。ラテン・アルファベットは左上から書きはじめ、左から右へとすすむ。別の書記法の言語を訳せば、テキストの向きも変わってしまう。同じ書記法の言語同士でもちがいはある。たとえば、英語の本をフランス語に訳せば、ふつう目次を本の前付けから、巻末へと移さなくちゃならない。

コミックスやグラフィックノベルでは、文章と図像パターンの関係はさらに複雑になる。図7は、デイヴィッド・ルイス、トーレン・スミス訳の宮崎駿『風の谷のナウシカ』からの抜粋だ。日本語版のレイアウトは変えていないから、右から左に読んでやる必要がある。ヒロインのナウシカは、自分の想念や言葉のように響いてくる声に耳を澄ましている。ふきだしのかたちが変えられているので、タイプのちがう言葉を区別して、込められた感情が直感的にわかるようになっている。

最初のコマのふきだしが八角形なのは、ナウシカが沸きあがってくる感情を幾何学的な図形にはめこむことで、自分の身に起

こっていることを呑みこもうとしているせいかもしれない。次のコマでは、ごく普通の感想が、標準的なかたちのふきだしに書きこまれている。しかし、つづくコマでは、絵の具をぶちまけたような形のふきだしで、不安に満ちた叫び声が表現されている。4コマめでは、ナウシカは普通のふきだしに立ちかえり、ショックから共感へと移行していくのだが、これは彼女のキャラクターの特徴になっている。

他方で、実体なき声のふきだしの輪郭がぎざぎざざしたり、ぼけていたりするのは、その声がひずんだ、幻覚じみた存在であることをあらわしている。4コマめでは、ナウシカの手の中で音が光のようなもの（鬼火か、蛍みたいなもの）に変わっていく。つづく2コマでは、日本語の文字が翻訳されないままになっている。というのも、文字のかたち自体がイメージの一部になっているからだ。巻末の説明によれば、最初に出てくる音「キーン」は、vweeenと訳され、ふたつ目「キュルルルルル」は、bwatatataと訳せるものだ。しかし、このままでも英語読者にわかるのは、音が実体化したもの（あるいはたんに音をたてるなにか）が、風を切ってナウシカのそばを通りすぎていく場面だということだ。ナウシカにはそれがなにかは見えないが、なにかがあることはわかっている。それはほとんど、書かれた文字が、音の小さな塊になって、そばの空間をかすめて飛び去っていくかのように感じられる。

一連のコマを見てわかるのは、イメージをあらわすために使われるかたちと、言葉の一部をなすかたちのあいだにある連動性だ。これが特に明快なのは、最後から2番目のコマだ。AA！と訳された叫び声が、英語・日本語共通の感嘆符「!!」とほとん

図7 宮崎駿『風の谷のナウシカ』、デイヴィッド・ルイス、トーレン・スミス訳

ど一体化してしまっている。「！！」は日本語の文字にくっついて伸び、こちらに襲いかかってくるようなイメージを生みだしている。こうした文字は視覚表現の一部なので、翻訳されないままになっている。ふきだしの内部でも、視覚によるシグナルは重要になってくる。太字で書かれた文字は（2コマ目を参照）、そうでないものよりも強調されていることがわかる。それ自体で1行になる感嘆符は（killed / us / !）、ことばの終わりにただついているものとは（he / killed / us!）、若干役割がちがうようにも感じる。

ふきだしの順序も大切だ。3コマめで、ナウシカがぎざぎざぎざしたふきだしでしゃべるとき、1コマ目の似たようなぎざぎざぎざしたふきだしがもつエネルギーが、その声にまであふれこんでくるかのようだ。2コマ目の輪郭がぼんやりしたふきだしは、ナウシカの顔

と想いを包みこんでいる。こういった流れは、視覚による脚韻だ。

『ナウシカ』の視覚パターンは、翻訳されないままになっている。なぜなら、パターンを理解するうえでのきまりが、英語と日本語で同じだからだ。戦後の日本のマンガは、英米のコミックスの影響を受けた。その逆もまたしかり。そのため、視覚言語が共通しているのだ。

詩でも、かたちがおどろくほど似たはたらきをする。中世以降、ソネットほかの詩形が、ヨーロッパ諸語のあいだで広まった結果、広く共有されるレパートリーになった。ちょうどナウシカのマンガのように、詩にかたちがあるおかげで、単語と構文は、視覚と聴覚のパターンと結びついて、奥行きのある表現を生みだせるようになった。

そういった理由もあって、詩の訳者は、脚韻の構成をそのままにすることもある。『ナウシカ』の訳と同じように、視覚パターンを維持するのだ。しかし、これは当然の選択というわけではない。脚韻を再現することで、ソーステキストのほかの重要な要素を犠牲にしてしまうかもしれない。それに、言語が変われば脚韻の性質も変わる、同じ詩形でも言語によってはかなりちがった風に感じられることもある。

ダンテの英訳は好例だ。『神曲』はテルツァ・リーマという複雑な脚韻形式で書かれている。脚韻はABABCBCDCDというかたちで、それがずっとつづいていく。この最初の6行みたいに（英訳は少しあとに載せている）。

> Nel mezzo del cammin di nostra vita　　A
> mi ritrovai per una selva oscura,　　B
> ché la diritta via era smarrita.　　A
> 　Ahi quanto a dir qual era è cosa dura　　B
> esta selva selvaggia e aspra e forte　　C
> che nel pensier rinova la paura!　　B

> 人生の道の半ばで
> 　正道(せいどう)を踏みはずした私が
> 目をさました時は暗い森の中にいた。
> その苛烈(かれつ)で荒涼(こうりょう)とした峻厳(しゅんげん)な森が
> 　いかなるものであったか、口にするのも辛(つら)い。
> 思い返しただけでもぞっとする。‡7

vitaはsmarritaと韻を踏む。oscuraはduraとpauraと韻を踏む。forteはこの引用のあとにつづく新しい3つ1組の脚韻のはじまりになっている。

訳者は、この脚韻形式を英語で再現してみてもいい。これは難題だが、挑戦した訳者もあまたいる。ミステリー作家のドロシー・L・セイヤーズもそのひとりだ(『地獄篇』1949年)。

> Midway this way of life we're bound upon,
> 　I woke to find myself in a dark wood,
> 　Where the right road was wholly lost and gone.
> Ay me! how hard to speak of it — that rude
> 　And rough and stubborn forest! the mere breath
> 　Of memory stirs the old fear in the blood;†27

---

‡7 ダンテ『神曲 完全版』平川祐弘、河出書房新社、2010年、6頁。
†27 Dante Alighieri, *Hell*, tr. Dorothy L. Sayers (Harmondsworth: Penguin, 1949), 1.

脚韻の連鎖反応は、たしかにこの詩をつらぬいている。しかし脚韻を再現したせいで、ほかの点はずれてしまった。ダンテは人生の道に「縛りつけられているbound upon」などとは言っていない。たんに、そのただなかにいると言ったのだ。セイヤーズは脚韻のためにuponという語をつけ加えなくてはならなかった。同じことがwholly lost and goneにも言える。この句は、lostに対応するsmarritaという一語のためのものなのだ。ダンテはbreathともbloodとも言っていない。こうした語も脚韻のためにあるもので、新しいイメージをもたらしている。これだけじゃない。脚韻構造を残しても、韻文が同じように感じられるわけではない。ダンテの脚韻はソフトだ。というのも、多くのイタリア語の語彙と同じく、アクセントのないシラブルで終わるからだ（これは普通「女性韻」と呼ばれる。最近の用語では「パロクシトーン」とも言う）。そして脚韻は、英語よりもイタリア語のほうが見つけやすい。テルツァ・リーマはダンテのイタリア語にくらべて、セイヤーの英語のほうが仰々しい感じがする。リズムではなくパフォーマンスになってしまっている。

その1世紀前、アメリカの詩人ヘンリー・ワーズワース・ロングフェローは、ダンテの翻訳に別の詩形をあてた。

> Midway upon the journey of our life
>   I found myself within a forest dark,
>   For the straightforward pathway had been lost.

---

† 28 Dante Alighieri, *The Divine Comedy*, tr. Henry Wadsworth Longfellow, 3 vols (London: George Routledge and Sons, 1867), i, 1.

> Ah me! how hard a thing it is to say
> > What was this forest savage, rough, and stern,
> > Which in the very thought renews the fear.[†28]

ロングフェローは脚韻をいじらなくてもよかったので、語彙と構文にかんしてはダンテのものと一致するようにしたてることができた。他方で、テルツァ・リーマの力強い推進力は失われた。詩形をめぐる難題は、ありふれた真実のまぎれもない証拠になっている。すなわち、翻訳はけっして、ソーステキストのあらゆる要素を厳密に再現するものではない。翻訳にはずれと改変がつきものなのだ。変身(メタモルフォーゼ)であって、複製(コピー)ではない。ひとつの脚韻構造ですら、ずれなしに再現するのは不可能なのだ。

そして文章もそうだ。というのも、文章にも形式があるからだ。このことを身をもって知ったのは、若き日に翻訳の冒険をしたときのことだった。大学院生のころ、マンゾーニによる19世紀屈指の傑作長編『いいなづけ』の英訳の改訂を依頼された。アーチボルド・コルクホーンによる英訳が刊行されたのは、1951年にさかのぼる。マンゾーニは長く、ひねりのきいた文章を書く名人で、私はそのうねりを英語読者のために復元しようとしたのだ。まず、セミコロンにはセミコロン、ピリオドにはピリオドといった具合に、できるかぎりイタリア語に近い構造の英文をつくってみた。それから、自分がこしらえたものを腰を落ちつけて読んでみた。こりゃひどい！──読んだ感じがまったくちがうのだ。イタリア語が滝のように流れ落ちていくところで、英語は凍結してしまっていた。わかったのは、英語では構文を微妙に変えたほうが、マンゾーニの筆致がうまく流れるように感じられるということだ

った。韻文の感覚が韻律と脚韻だけでないのと同じで、散文のうねりは構文だけの問題ではない。

アイデンティティ

ロングフェローとドロシー・L・セイヤーズは、作家ダンテのべつべつの面をえらんで、英語に表現した。セイヤーズ訳の読者は、テルツァ・リーマ詩形の名人芸に出会う。ロングフェロー訳の読者は、ストイックなほどシンプルだが玉のように磨きぬかれた文体を見いだす。こうたずねてみてもいい——どちらがダンテに忠実なのか？　どちらがよりダンテっぽいのか？　答えは、どちらも忠実だというものだ。作家ダンテのアイデンティティは一筋縄ではいかない。2種類の訳はべつべつの面に光をあてたのだ。

アイデンティティを翻訳でどうあつかうかは、ぱっと見には難しい問題に思える。このトピックを議論すると、ほとんどいつも以下のようになってしまう——「ソーステキストには一定の、単一のアイデンティティがある。翻訳がそのアイデンティティにどれほど忠実か、あるいはどれほど乖離しているかは測定可能である」。どんな専門用語をもちだして記述してみても、この「あるいは」構造はついてまわる。翻訳は、直訳か、あるいは意訳かのどちらかだ。ドイツの哲学者フリードリヒ・シュライアマハーは1813年にこう述べている——翻訳は読者を著者に近づけるか、あるいは著者を読者に近づけるかだ[†29]。現代の翻訳研究の専門用語を使って言えば、異化（foreignizing）か、あるいは同化（domesticating）かというわけだ[†30]。

しかし、セイヤーズとロングフェローの翻訳は、この二分法に橋をかけるものだ。セイヤーズは、テルツァ・リーマを採用することで、「直訳」かつ、「異化」的翻訳かつ、「読者をダンテに近づけ」ている。セイヤーズは、ダンテの原文にはない言葉を使うことで、「意訳」かつ、「同化」的翻訳かつ、「ダンテを読者に近づけ」ている。ロングフェローは、当時の英詩で用いられていた簡明な訳文を採用することで、「直訳」かつ、「異化」的翻訳かつ……。ロングフェローは、テルツァ・リーマを避けて自由詩にすることで、「意訳」かつ、「同化」的翻訳かつ……。一般的に、同じことがあらゆる翻訳に言える。あらゆる翻訳には異化と同化が混在しているのだ。

なぜそうなのか。理由はふたつある。ひとつは、翻訳とはおしなべて、翻訳を受信する側の言語文化とソーステキストのあいだをとりもつものだからだ。翻訳は、特異性や異質性をまるごと残したまま、ソーステキストを完全に複製することはできない。そんなの、翻訳なんかじゃない。そして翻訳は、ソーステキストを完全に同化してしまうこともできない。翻訳は特異性や異質性を完全には捨てられない。そんなことをすれば、新しい、別のテキストを書くことになる。であれば、あらゆる翻訳は、「あいだ」ではたらくことになる。翻訳はみな、中間にいるのだ。

かたち、アイデンティティ、解釈

---

†29 Friedrich Schleiermacher, 'Ueber die verschiedenen Methoden des Uebersezens', in Hans Joachim Störig (ed.), *Das Problem des Übersetzens* (Darmstadt: Wissenschaftliche Buchgesellschaft, 1963), 47.〔フリードリヒ・シュライアーマハー「翻訳のさまざまな方法について」『思想としての翻訳——ゲーテからベンヤミン、ブロッホまで』三ツ木道夫編訳、白水社、2008年、39頁。〕
†30 「異化」と「同化」の二分法が知られるようになったのは、以下の書籍による。Lawrence Venuti, *The Translator's Invisibility: A History of Translation* (Abingdon: Routledge, 1995; 2nd edn., 2008).

ふたつめの理由は、ソーステキストと受信側の言語の両方が（すなわち翻訳の中立地帯の両側の実質が）、複雑で、定義しがたいことだ。「異質」と呼べる極点がひとつあるわけでもなければ、「同質」と呼べる極点がひとつあるわけでもない。そのあいだに一本の線が引けるわけでもない。「異化」と「同化」の度合いは単一の尺度では測れない。

英語（あるいは言語）を使う方法がどれだけあるか、考えてみてほしい。方言はヨークシャーから多文化的なロンドン英語まで、堅苦しさの度合いは法廷からパブまで、専門用語は医療からレーシングまで、言葉づかいは人それぞれ、膨大な文芸ジャンルと文体。テキストが「同化」的に訳されている、つまり異論のでない、なじみのある英語になっていると言うとしよう。これは、論点を巧妙に避けている。それって、どんな英語？ だれにとってなじみぶかいの？ という。

そして、ソーステキストをつくりだす方法がどれだけあるか（話されたものにしろ、書かれたものにしろ）、考えてみてほしい。さきほどあげた言語を、私はどれも使うことができる。この、私がよりしろにし、世界に提示している「私」も、しかるべく変化する。私は、この世界の約半数のひとと同様、習慣的にふたつ以上の言語を使い、コンテキストやトピックに応じて（あるいは気まぐれで）、それを切りかえる。この場合、言語の役割とは、たんにアイデンティティを運ぶだけでなく、むしろアイデンティティをつくるものであることはあきらかだ。

私が自分の言動で築いたアイデンティティも、その言動を聴衆や

読者、社会がどうとるのかによって決まる。冗談ひとつとっても、愉快と感じるひともいれば、すべっていると感じるひともいる。ある説明が、だれかにとってはありがたく、別のだれかにとっては恩着せがましく、また別のだれかにとってはちんぷんかんぷんだったりする。書くことにしても、ありとあらゆるとられかたをする危険がある。ある読者にとっては陳腐な決まり文句が、別の読者には冴えているように感じられる。だれかがすばらしいと思うものが、別のだれかにはほとほと退屈だ。記事を書きあげて、自分では上出来だと思ったとしても、依頼元の雑誌に没にされることもある。履歴書は採用か不採用かだ。こうした反応がいちいち、あるコンテキストにおいて、アイデンティティを定義するプロセスの一環なのだ(批評理論よりの用語を使えば、アイデンティティが「形成される」)。つまりはこうした反応によって、対象のテキストや人物についてなにが言えるのか決まるのだ。

つまり、訳者が訳出すべき決まったアイデンティティなどどこにもないということだ。翻訳を構成する読解・解釈・評価・換言といった行為はみな、翻訳が表現するアイデンティティを定義する役目を果たす(ダンテを、セイヤーズはテルツァ・リーマの詩人として定義し、ロングフェローは簡明な文体の詩人として定義する)。訳者が、一部の面をほかよりも引き出してしまうのは避けがたい事態だ。その一部の面が呼びおこすのは、受信側の言語でなにか新しいことをしようという、「異化」的戦略の採用かもしれない。他方でほかの面は省略されるか、後景に退く。こうして、訳者は受信側の言語で文体を築きあげるが、その文体は斬新さと常套句を独自の配合で混ぜあわせたものになる。訳文が(ほかのものよりも)、

かたち、アイデンティティ、解釈

読み手や聴き手次第で、「同化」よりか、「異化」よりかに映ってしまうのは避けられない。

翻訳におけるコンテキストと目的は、こういったプロセスに決定的な影響をあたえる。移民局での面接を例にとってみよう。そこで集中的に問いただされるのは、面接される人間のアイデンティティの一部が、どう確立しているのかだ——しかし、それでも一部にすぎない。移民がどこから来たのか、移民が暴力やその脅威の対象になっているのかどうかといったことだ。そのアイデンティティの別の側面も同様に重要だろう。方言、セクシュアリティ、エスニシティ、ファミリーグルーピング。しかし、おそらくはひとりひとりの発話や書記のスタイルや、特定の技術や嗜好は重要じゃない。フィンランドの移民局が通訳のためにさだめたガイドラインは、この制度のコンテキストを明確にしている。

> 移民希望者の問題は、別の言語に完全かつ正確に翻訳されなくてはならない。当局が、国際的な庇護を求めている対象者の問題に対し、公正な判断が下せるようにである。それゆえ、移民希望者の一生を決めてしまう場面で、メッセージをやりとりする通訳は、重要な立場にある。通訳の任務は、ある言語から別の言語へと、そのメッセージを正確かつ忠実に訳すことである。[†31]

不可欠なのは、文体やイディオムよりも、「問題」や「メッセージ」の提示である。「問題」や「メッセージ」と見なされるものが、庇

[†31] *Interpretation in the Asylum Process: Guide for Interpreters* (Helsinki: Finnish Immigration Service Refugee Advice Centre, 2010), 9. <http://www.migri.fi/download/16471_Tulkkaus_turvapaikkamenettelyssa_Opas_tulkeille_en.pdf?fd6e5908f746d288>, accessed 27 May 2015.

護申請を受理するかどうかを決める事実として使われるからだ。

民俗学研究で前景化する目的とアイデンティティは、移民局とはまったく異なる。1870年代の南アフリカで、ヴィルヘルム・ブレークとルーシー・ロイドはブッシュマン数名にインタヴューをおこなった。対象となった人物の名前は、|A!kungta、||Kabbo、|Hang‡kass'o、Dia!kwain、!Kweiten ta ||ken、|Xaken-angである。ブレークとロイドは手はじめに、ブッシュマンが話す|Xam（ハム語）を学ぼうとした。それからブッシュマンの文化の理解をはじめ、伝承を書きとめた。この苦心の背後にたちこめていたコンテキストは暴力だった。南アフリカは英国人とボーア人の帝国主義の標的となり、ブレークとロイドが唯一面会できた対話相手は、逮捕勾留されていた人々だった。それでも、このひどい環境下でも、インタヴューは丁重かつ丁寧におこなわれた。ブッシュマンの情報提供者はブレークとロイドの家に住んでいた——守衛つきだが——そして対話はひとりにつき数か月にもおよんだ。

ブッシュマンと2名の民俗学者の唯一の共通語は、片言のアフリカーンス語だけだった。ブレークとロイドはまず物や絵を指してコミュニケーションをおこない、ブッシュマンのことばを書きうつし、学べるようにしていった。転写にはハム語の特徴である吸着音や喉音を記録するために、新しい文字を考案する必要があった。私がさきほど書いた名前のなかの|は、歯吸着音を指す。!はそり舌吸着音（上口蓋に舌を押しあててだす音）、‡は硬口蓋吸着音（舌先を歯茎と硬口蓋のあいだに押しあてて出す音）だ[†32]。1911年に、ブッシュマンの物語を書きとめた『ブッシュマン民話抄』

かたち、アイデンティティ、解釈

が刊行された。ほかにもさまざまな記号が、対訳形式の英訳ふくめ使われている。これがその !Kó-g!nuing-tára, Wife of the Dawn's Heart Star, Jupiter (語り∥Kabbo、翻訳ロイド)の冒頭である。

> They sought for *!hāken*,* they were digging out *!hāken*. They went about, sifting *!hāken*, while they were digging out *!hāken*. And, when the larvae of the *!hāken* were intending to go in (to the earth which was underneath the little hillock), they collected together, they sifted the larvae of the *!hāken* on the hunting ground.
>
> **!hāken* resembles "rice" (ie "Bushman rice"); its larvae are like (those of) "Bushman rice". *!hāken* is a thing to eat; there is nothing as nice as it is, when it is fresh.
>
> 彼らは!hākenをさがした。彼らは!hākenを掘りだした。!hākenを掘りだしているあいだ、!hākenをふるいにかけながら、歩きまわった。そして!hākenの幼虫が(小さな塚の下の地面に)もぐろうとしていると、彼らはひとまとめにして、!hākenの幼虫を猟場の地面の上でふるいにかけた。
>
> 〔!hākenは「米」(「ブッシュマンの米」)に似ている。幼虫は「ブッシュマンの米」(のそれ)に似ている。!hākenは食べるものだ。新鮮なら、これ以上のものはない。〕†33

この翻訳のおかげで、英語に新語が生まれた。その語が指す食べものは、読者がだれも知りもしなければ、名前もつけられな

---

†32 Andrew Bank, *Bushmen in a Victorian World: The Remarkable Story of the Bleek-Lloyd Collection of Bushman Folklore* (Cape Town: Double Storey, 2006), 87.
†33 故W・H・I・ブレークとL・C・ロイドによって収集された『ブッシュマン民話抄』は、ロイドによって編集され、ジョージ・マッコール・ティールの序文がつけられている。L. C. Lloyd (ed.), *Specimens of Bushman Folklore* (London: George Allen and Company, 1911), 84-5.

いものだ(「ブッシュマンの米」は、生きたアリの幼虫)。そしてその語があるおかげで、反復からなるハム語のストーリーテリング(少なくとも、そのときそのジャンルで、‖Kabboがおこなったストーリーテリング)の意味がわかるのだ。

ブッシュマンの語りには、移民局の面接が閑却しがちな細部がある。しかし、この民俗学のテキストのほうが、話者のアイデンティティに迫った翻訳だとは言えない。むしろ、異なる目的のために、異なる慣例にしたがって、異なる面を引きだしているのだ。もちろん、細心の注意をはらわなければならないし、誤訳は避けなくてはならない。同じことが移民局の面接の通訳にも言える。どちらの翻訳の方法も、うまくいくこともあれば、そうでないこともある。しかしうまくいこうがいくまいが、翻訳は、定着した所与のアイデンティティをとりだし、(精度はともかく)複製するようなものではない。かわりに翻訳は、つねに相対的かつ、状況に応じて変化するアイデンティティのパフォーマンスに参加するのだ。そして、それを異なるコンテキスト、時間、言語へと広げていく。

ひとつの解釈

翻訳本の書評は、翻訳そのものについては、通りいっぺんのことばすらかけないのが普通だ。しかしそうでないとしたら、なにか異議を申し立ててくるのが常だ。特筆すべき例として、ジョルジョ・バッサーニ『フィンツィ・コンティーニ家の庭』(1962年)のジェイミー・マッケンドリックの英訳(2007年)への書評をあげよう(『タイムズ文芸録』に掲載)。この小説は、1930年代のフェラー

ラを舞台にした、ユダヤ人のティーンエイジャーの友情と愛情をめぐるものだ。評者のダン・グンは、マッケンドリックが登場人物にあてがった口調が気に入らなかった。グンによれば、フィンツィ・コンティーニ家のような教養ある一族が、he looked like a right little wimpやutter bullshit、no way!のようなことばをつかうなんて想像もつかないという。ミコルのような博識な人物が、語り手にむかってyou make off to make out, round at your true love'sなんて口の利き方をするなんて「ちらりとも考えられない」とも[†34]。ここで問題になっているのは、意味のとりちがえなんかではなく、もっと微妙なものだ——つまり、口調という。

イタリア語の原文にマッケンドリックの英訳をならべて、もう少しくわしく最後の引用部分を見てみよう。現在ボローニャ大学に在籍している語り手「ぼく」は、ミコルとおしゃべりしている。自分よりも裕福で、趣味もいいミコルのことが語り手は好きなのだが、ミコルのほうは友人としてしか見ていない。

> Io, per esempio, appena posso prendo il treno e filo a Bologna...
> [As for me, whenever I can, I take the train and make off to Bologna...]
>
> ぼくなんか、ボローニャへよろしくするのが関の山……

ミコルこたえていわく、

[†34] ダン・グンのレヴューは以下に掲載された。*The Times Literary Supplement* 5466 (4 January 2008), 23. バッサーニの原文とウィーヴァーの英訳は、マッケンドリックの返答に引用されていたものより。*The Times Literary Supplement* 5472 (15 February 2008), 6.

> Filerai a *filare*, va' là, confessa: dalla morosa'
> [Go on, tell the truth, you make off to *make out*, round at your true love's]
>
> いい人とよろしくやっていくためによろしくするんでしょ、白状なさい

2人の関係は、ミコルが残酷にもさしはさんできた冗談で一触即発だ。「行ってしまう」や「逃げ出す」を意味するfileraiと、「つきあう」「いちゃいちゃする」「よろしくやる」を意味するfilareとのあいだの冗談だ。morosa「いい人」という、上品なことばを選んでいるのも皮肉だ。

私には、マッケンドリックは、登場人物の個性を英語にとてもうまく移しかえているように思える。ウィリアム・ウィーヴァーによる先行訳よりもうまいのはたしかだ。ウィーヴァー訳は、文章の表面的な意味を伝えているだけで、やりとりの表現がもつ力を削いでしまっている。

> You slip off to see your girl friend, go on. Confess.
>
> 好きな人のところに逃げるんでしょ、白状なさい‡8

しかし、『タイムズ文芸付録』の評者はそう思わなかったようだ。マッケンドリックの英訳は、このやりとりの背後の事情を絶妙に伝えているように私には感じられたが、この評者にとっては場ち

---

‡8 ジョルジョ・バッサーニ『フィンツィ・コンティーニ家の庭』大空幸子訳、新潮社、1969年、51頁。

がいなまでに品のないものだったのだ。

どちらの意見が正しいのか(あるいはより正しいのか)、ごちゃごちゃ言うつもりはない。大事なのは、ある程度はどちらの意見も解釈から来ているということだ。登場人物たちのしゃべりかたは、バッサーニの文章とは単純に同じではないので、翻訳は比べられないし、あっているとかまちがっているとか断じることはできないのだ。会話のふくみは、私たち読者が想像しなくてはならないものだ——読みながら、コンテキストと、登場人物たちのふるまいに心を配ることで。もちろん、私は自分の解釈のほうが、ダン・グンの解釈よりも小説とあっていると思っている。しかし、それはひとつの解釈でしかないとも承知している。書かれたものは、どう読まれようが、理解されようが自由なのだ。「オリジナル」という私の感覚は、解釈と翻訳のプロセスから立ちあがってきたものだ。同じことがほかすべての人の解釈に言える。

翻訳書の評者は、この事実をほとんど気にも留めない。よくあるのは、翻訳は噛みつかれるにせよ、ほめられるにせよ(たいてい噛みつかれるわけなんだが)、その理由は「オリジナル」の「調子」や「魂」をつかまえたり、つかまえ損なったりするからだ。しかし、オリジナル自体には調子も、魂もない。読者はそれがあると思わされているだけなのだ。実際のところ、「オリジナル」のようなものは原理的にないのだ。ただソーステキストがあって、読者と一緒に解釈を生むのだ。では、評者が「翻訳がオリジナルの調子をつかまえそこなっている」と感じるとき、実情は、本になった翻訳が、評者の頭の中にひそかにある翻訳とはどこか食いちがっているということなのだ。

あきらかなまちがいではないかぎり、この多様性を楽しむべきなのだ。もう本を読んだことがあるのなら、なぜすでに読んだものを翻訳になぞってほしいのだろうか？ 翻訳が（細部までありありと）教えてくれるのは、別の読者にはテキストがどう見えているのかということなのだ。その解釈は、『タイムズ文芸付録』の評者のように、まったく思いもよらないものかもしれない。翻訳は、ソーステキストがしまいこんでいた意味のニュアンスをひらいてくれる。翻訳は、その芽を花開かせることができるのだ。

ここでクリーシェにぶつかる。「あらゆる翻訳は解釈である」とは、「あらゆるコミュニケーションは翻訳である」とほとんど同じくらい軽く口にのぼる。ほかの既成概念（第2章で議論したようなものだ）と同様に、「あらゆる翻訳は解釈である」も部分的にしか正しくない。解釈と翻訳はからみあっている。でも、このふたつは区別できる。

「解釈」という考えの根っこにあるのは、「ソーステキストの意味をひらく」というものだ。これは、ジャンルや媒体によっても異なってくる。通例、詩の解釈は学術論文か、学校の作文だ。通例、音楽作品の解釈は、演奏になる。

しかし、小説の翻訳はそれでもなお小説だ。「あらゆる翻訳は解釈である」と言えば、翻訳それ自体が解釈を必要とするテキストだという事実を軽んじてしまう。もちろん、あらゆるテキストには解釈が必要だ。批評は読者による解釈が必要だ。音楽作品の演奏は聴き手による解釈が必要だ。しかし、程度の問題がある。文学テキストは膨大な種類の解釈にひらかれている。それこそ

かたち、アイデンティティ、解釈

が、「文学的」だという意味の一部なのだ。批評は読者に解釈の選択肢をそれほどはあたえない。理由のひとつは、書かれ方にある。総じて、批評はあいまいだったり、事実ではないような書き方はしないし、文学テキストにありがちな形式もとらない。もうひとつの理由は、(みなが知っているが)なぜ批評を読むのかということだ。批評を読むのは、詩や本や芸術作品についての見解をえるためなのだ。

こうした見えない、暗黙の前提は、話しことば書きことばの両方に刻印されている。言語の使用目的がちがえば、取り扱いもちがってくる。兵士が上官の命令を聞くとき、従わなければならないと知っている。新聞をひらくとき、普通はニュースをさがしている。文学テキストの見えない取扱説明書はもっと長く、ほかよりも散漫で、矛盾ぶくみだ。詩、戯曲、小説にはありとあらゆる使いみちがある。プロットを読みとり、感動し、おもしろがり、学び、評価し、その形式に注目し……などなど。これこそが、文学テキストの解釈が常に悩ましい理由である。そしてこれこそが、文学テキストの翻訳がここまでややこしく、議論百出な理由でもある。

他方、政治的交渉の場での発話は、意味の伝達をめざしているのが普通だ。これぞ、「口頭でのコミュニケーション」の意味でのinterpreting（通訳）が、書かれたテキストの意味をひらいていくという意味でのinterpreting（解釈）につながる理由である。発話が意味の伝達をめざすものなら、通訳のさいに意味をはっきりさせる（すなわち、解釈する）のは適切だろう。しかし、文学テキストでは、意味のやりとり以外にもいろいろなことがおこなわれる。この種の言語使用の観点からは、翻訳と通訳は別々の方向

をむいている。翻訳とは、ソーステキストのパフォーマンスを可能なかぎり別の言語でもつづけさせようとする文章様式である。解釈はソーステキストの意味をひらいてやることに眼目がある。文学テキストの解釈は、それ自体ではさらなる解釈を必要とはしなそうだ。しかし、文学テキストの翻訳はありとあらゆる解釈を生むだろう。

翻訳と解釈、さまざまな読み方のあいだのややこしい関係性は、多言語で運営されている国際組織をのぞいてみればよくわかる。欧州連合は、加盟国の公用語すべてで業務がおこなわれている。最新の創設条約の「統合版」は、アイルランド語版、イタリア語版、英語版、エストニア語版、オランダ語版、ギリシャ語版、スウェーデン語版、スペイン語版、スロヴァキア語版、スロヴェニア語版、チェコ語版、デンマーク語版、ドイツ語版、ハンガリー語版、ブルガリア語版、フィンランド語版、フランス語版、ポーランド語版、ポルトガル語版、マルタ語版、ラトヴィア語版、リトアニア語版、ルーマニア語版がある。そして「これらすべての言語のテキストは等しく真正である」。各言語のテキストは複雑な翻訳、比較、交渉の過程をへて届けられる。それぞれが正確には、原文でもなければ翻訳でもない。そしてひとつひとつの文書は互いに可能なかぎり似せられている。しかし似ていても、同一ではない。言語が変われば、意味も必然的に変わってくる。

前文の、もっとも標準的な決議の一部を見てみよう。これが英語版だ。

    RESOLVED to continue the process of creating an ever

> closer union among the peoples of Europe...
>
> 欧州市民間に一層緊密化する連合を創設する過程を継続することを決意し……‡9

こちらが、同じく真正なフランス語版だ。

> RÉSOLUS à poursuivre le processus créant une union sans cesse plus étroite entre les peuples de l'Europe...†35

しかし、an ever closer union は une union sans cesse plus étroite と同じものだろうか？ 対になる表現として、もっとよいペアはなかなか思い浮かばない。このコンテキストでは、plus étroite が closer の翻訳であることはあきらかで、その逆もしかり。そうだとしても、ことばの向きはややずれている。étroit の意味には、英語では別の語をあてる。narrow や tight だ。étroit にくらべて、close は近さや親密さのふくみが強いのではないか？ もしフランス語でだれかに close な感情をいだいていると言いたければ、proche をかわりに使うだろう。こうしたテキストをほかの人が解釈すれば、ヨーロッパのヴィジョンにずれがでてきてしまうかもしれない。感情面での統合を重視するひともいれば、制度の上での密な連携を重視するひともいるだろう。

もちろん実際には、各言語のパラレルテキストがこんな風に使われているわけではない。かわりに、パラレルテキストは全部ひ

---

‡9 岩沢雄司編集代表『国際条約集（2018年版）』有斐閣、2018年、52頁。
†35 この「欧州連合条約統合版」は以下から引用した。<http://eur-lex.europa.eu/legal-content/en/TXT/?uri=CELEX:12012M/TXT>, accessed 10 June 2015.

とまとめにして解釈されてしまう。欧州議会と関連組織は協同してひとつの巨大な「通訳コミュニティ」をつくる。その仕事とは、an ever closer unionや、une union sans cesse plus étroiteや、ほかの言語の同種の言いまわしすべてが意味するものが、欧州連合が運営可能な、政治的・法的基準にのっとっているかどうかを判断することだ。こうした条約はみな相互に翻訳可能だが、同じ意味というわけではない。同じ解釈の枠組みに、つなぎとめておかなくてはならないのだ。

翻訳は解釈とは同じではない。「あらゆる翻訳は解釈である」は、事実とは異なる。しかし、翻訳と解釈は分かちがたく絡みあっている。翻訳は解釈を組みこむ——そして解釈をひき起こす。そして解釈のあるところ、力がある——これから見ていくように。

V
力、宗教、選択

解釈の帝国

紀元前191年、アイトリア人の大使パイネアスは、ひどい誤訳をした。西部ギリシャのアイトリア人はローマとの戦争に敗れ、パイネアスは和平を求めていた。ローマの執政官に、アイトリア人はローマ人のfides（信義）に身をゆだねると述べた。ギリシャ人の歴史家ポリュビオスの説明によれば、パイネアスは自分がなにを言っているのかわかっていなかったのだという。ラテン語のfidesがギリシャ語の同族語πιστιςと同じ意味だと思ったパイネアスは、fidesある関係をローマ人と結ぶということは、ある程度は妥協しあい、ある程度は互いに尊重しあう交渉ができると思っていた。ふたを開けてみると、話はまるでちがった。ローマ人にとって、fidesに身をゆだねるとは、無条件降伏を意味していたのだ。パイネアスは同胞2人を引きわたすよう命じられ、鎖につなぐぞと脅された。

パイネアスが抗議すると、執政官は含蓄に富んだ返答をした。執政官いわく、ギリシャでfidesやπιστιςといった語がどう理解されているかは実際どうでもいい（nec hercule...magnopere nunc curo〔いや神かけて言う。……私はもう大して気にかけておらん〕）†36。肝心なことは、ギリシャ人が負けたことであって、パイネアスはその責を負っているのだ。パイネアスの報告を受けたアイトリアの議会は、承諾以外の選択肢がないことを悟った。征服者にしたが

わざるをえなかったのだ。

この出来事は、第4章の最後で触れた欧州連合の交渉とは遠い世界の話のように思えるかもしれない。交渉の場においては、各言語版の条文にちがいがあっても、欧州の政治プロジェクトの一翼をになう巨大な対話機構が標準化してしまう。幅広い層の人々を巻きこんだひとつの解釈コミュニティだ。他方で、パイネアスの事件では、ギリシャとローマという別個のコミュニティだ。お互いにちがうだけでなく、いがみあっている。欧州連合では、交渉があった。こちらでは戦争がある。

しかし、実はふたつの事件は、同一の原理原則を示しているのだ。この語かあの語かの選択は、意味を決める力にはおよばない。パイネアスが正しく訳せていたとしても、結果はせいぜいほとんど変わらなかったろう。ローマ人はなおパイネアスの言明を無視したり、曲解したりすることができ、アイトリア人になんでも要求することができたのだから。ハンプティ・ダンプティが言うように、意味のことになると、大事なのはいつも、だれが「主人になるか」ということだけなのだ[†37]。政治の帝国はつねに解釈の

力、宗教、選択

[†36] Polybius, *Histories* 20. 9-10.〔ポリュビオス『歴史3』城江良和訳、京都大学学術出版会、2011年、510-512頁。〕執政官の返答は以下の書籍に引用されている。Livy, *Ab urbe condita* 36.28.〔『ローマ史』の、この箇所の邦訳としては、現在までのところ以下の書籍があるが、参照するにとどめた。ティトゥス・リヴィウス『ローマ史――地中海世界の制覇(前)』北村良和訳、秋田印刷製本株式会社、2006年、526頁。〕両者のテキストとも以下のサイトから引用した。*Perseus Digital Library*: <http://www.perseus.tufts.edu/hopper/>, accessed 2 June 2015. 以下の文献も参照のこと。Michael Cronin, *Translation in the Digital Age* (Abingdon: Routledge, 2013), 15.

[†37] ハンプティ・ダンプティが出てくるのは以下の書籍。Lewis Carroll, *Alice's Adventures in Wonderland and Through the Looking Glass*, ed. Hugh Haughton (Harmondsworth: Penguin, 1998), 186.〔ルイス・キャロル『鏡の国のアリス』柳瀬尚紀訳、ちくま文庫、1988年、122頁。〕

帝国でもある。

このことから、翻訳と力との関係について大事なことがわかる。誤訳、あるいはたんなるずれは、それ自体が問題ではない。その影響は、それがいかに解釈され、使われるかによって決まる。それにもかかわらず翻訳は、交渉の場で生まれた圧力や、交渉時の誤解を暴きうる。文法的には微細だが、政治的にははっとするような例が、1967年の第三次中東戦争の結果をうけて作成された国際連合安全保障理事会決議第242号で起こった。英語のテキストはwithdrawal of Israeli armed forces from territories occupied in the recent conflict（最近の紛争で占領した領域からのイスラエル軍の撤退）を求めている。しかし、公式のフランス語版と非公式のアラビア語版はterritoriesの前に定冠詞をつけていた。文章の意味自体は、withdrawal of Israeli armed forces from the territories occupied in the recent conflictに近いものだ。ずれは文体のせいでもある。アラビア語では（フランス語ではそうではないが）、この手の句を定冠詞ぬきに書くと妙になるのだ。しかし、意味にもまたずれがある。the territoriesにはall the territoriesのふくみがある。対して、territoriesが示唆するのはその一部でしかない。目的と前提の食いちがいを、訳文がはっきりさせたのだ。この状況で英語は、おそらく故意にあいまいに書かれている。ほかの言語のテキストは、より厳密な決議を、という欲望を明かしている[†38]。

[†38] 国際連合安全保障理事会決議第242号は以下の書籍でとりあげられている。Bernard Lewis, *From Babel to Dragomans: Interpreting the Middle East* (London: Weidenfeld and Nicolson, 2004), 30.

遅効性翻訳

翻訳のずれは、予期せぬ余波を生むこともある。長年使われている例のひとつに、ワイタンギ条約がある。1840年、イギリス王権とニュージーランド北島のマオリ族の首長のあいだで結ばれた条約だ。この条約はしばしば、翻訳を介しておこなわれた不正義の例として引用される。たしかに、その見方には真実がある。英語のテキストは、マオリはsovereignty（主権）をヴィクトリア女王に譲ると述べている。他方で、マオリ語のテキストはkawanatangaをあたえるとしており、これは保護や監督権寄りのことばだった。しかし状況は錯綜しており、この条約はのちに驚くべき運命をたどった。

1820-30年代には、英国政府はニュージーランドを直轄の「公式帝国」にしようというあからさまな野心はなかった。「干渉は最小限に」の政策が保たれていたのだ。しかし1830年代末に、入植者の暴力行為と私設のニュージーランド会社の違法な土地買収の報告がはいってきた。さらにはフランスによる侵略の怖れもあった。そこで植民地省長官ノーマンビー卿が、ウィリアム・ホブソン大佐を公使としてさしむけ、ニュージーランドを英国法で統制できるような条約をマオリ人と結ぼうとした。

「善意の帝国主義者」という概念のひどい矛盾が、この措置ではよく見える。ノーマンビーはマオリ人のことを心から思いやったように映る。ノーマンビーはホブソンを指導し、マオリ人が「まったく明るくない事柄についての契約、無自覚に自身の利益を損なうような契約にけっして関与してはならない」ようにした。他

方でノーマンビーが当然のように思っていたのは、「自身の利益を損なう」のかを判断するうえで、いかなるマオリ人よりも、ホブソンこそが適任者だということだった。(たとえば)マオリ人が英国の支配に屈しようとしないのなら、そのまちがった考え方をあらためるように説得するのがホブソンの務めだった。

このような帝国主義からくる前提にくわえて、当時のニュージーランドでは、完全な相互理解が非常に難しかったという事情がある。英語テキストの翻訳は、ヘンリー・ウィリアムズ師が担当した。ウィリアムズは当地の英国聖公会宣教協会の長で、息子のエドワードと夜通しとりくみ、翌日の、500人のマオリ人と200人のパケハ(入植者)の会合に条約を間に合わせた。そもそもこの訳文の文章語自体は、ウィリアムズ自身の尽力もあって成立したものだった。1814年のキリスト教伝来以前は、マオリ語は完全に口頭言語だった。宣教師たちは綴りや書きことばの文法を考案し、聖書ほかのキリスト教関連文書が翻訳できるような媒体をつくったのだ。そのあとで、新しい書きことばの本が読めるよう、宣教師はマオリ人に教えたのだ。

こうして、西洋の概念である政府や土地所有についての知識を、とにかくマオリ人はえるようになった。そして、ウィリアムズがワイタンギ条約を訳したとき、ウィリアムズはかつて自身が訳した宗教文書の影響をうけたにちがいない。kawanatangaは、governor(統治者)のようなものを指す、すでにあったマオリ語のkawaから宣教師がつくった語だった。聖書のマオリ語翻訳で、ポンティウス・ピラトゥスが行使する権力にその語をあてていた。ウィリアムズがsovereignty(主権)にあてて使ってもよかったもうひと

つの語はrangatiratangaで、裁判権や首長権のような意味のことばだった。しかし、ウィリアムズはこの語をpossession（所有）の訳語として使った。マオリ人が、自分たちの土地を支配しつづけるという意味だ。

しかし、どんなマオリ語の単語を使っていたところで、なお誤解と食いちがいは起こっていただろう。条約で鍵となる英単語は、イギリスの政治や法律ではっきりとした意味をもって使われていたものだった。こうした語は、特定の解釈コミュニティに組みこまれている。rangatiratangaとkawanatangaの使われ方が逆であれば、マオリの首長は、英国の主張がもつ拘束力についてもっとうまくイメージできたかもしれない。しかし、どちらの語も、英語の概念であるsovereigntyがもつ、権利と義務が組み合わさった特有のニュアンスをとらえられない。

法律家の身ならぬウィリアムズには、なにかが微妙に翻訳から抜け落ちてしまったこともわからなかっただろう。たしかに、大規模な集会が翌日に迫っていれば、通りのいい文章をつくるので手いっぱいだったろう。ノーマンビーとホブソンのように、ウィリアムズもキリスト教的、帝国主義的な確信をもっていた。それは、（どんなに難解な用語で書かれていたにせよ）条約にサインすることが、マオリ人の利にもっとも適うというものだった。最終的には、ウィリアムズは口頭での説明と合意を重視するマオリ人の考え方に影響されていたのだろう。交渉の最中、文書の厳密な検証よりも、ウィリアムズによる口頭での言質のほうが、同意を確かにするものだったようだ（700名の出席者に対して、文書は一式しかなくて、ほかにどうできたというのだろう？）。そんな状況だったので、2000年

前のパイネアスのように、マオリの首長たちも完全に把握できていないことばに自分の名前を記したのだ。そのひとり、カイタイアに住む首長ノペラ・パナカレアオは、条約を自分なりに理解して、以下のような英文に相当することばで表現した —— the shadow of the land goes to Queen Victoria but the substance remains with us（土地の影はヴィクトリア女王まで伸びるが、実質はわれらの元に残る）。英語の条文は、かなり異なる内容になっている。

ワイタンギ条約の翻訳のずれは、両者の誤解を白日のもとにさらしている。しかし、パイネアスのケース同様、ずれのせいでその後の出来事が起こったわけではない。その後数十年にわたって、英国人入植者はマオリ人から力を削ぎ、その財産を奪うための措置を着々と整備していった。入植者は穀物が育たない土地に税金を課し、支払わない場合は罰として没収した。入植者は自分たちだけで政府のシステムを立ちあげ、マオリ人をほぼ完全に締めだした。しかし、入植者はワイタンギ条約の矛盾ぶくみの文章にその根拠を求めなかった。ただたんに、自分たちの力を頼みにしたのだ。

しかし、1970年代にニュージーランド政界で条約はふたたび問題になりはじめた。土地の収奪に抗議するマオリのひとびとは、ワイタンギ条約のマオリ語のテキストをもちだし、その英語版とのずれを議論の俎上にあげた。不正義を調査する裁判がはじまり、修正判決がなされた[†39]。

翻訳は力に屈する。そして不正義への道筋をつけてしまえる。しかしそうであっても、翻訳は不正義を目に見えるようにするも

のでもある。つまり、力をとりまく景観が変わり、その結果として解釈が変わりはじめるとき、翻訳のしくじりやずれは口実になる。翻訳は当初は仕えていた権威に、立ち向かうことができる。

神のことば

英語の聖書(もちろんそれ自体が翻訳なわけだが)が他言語に訳されたのは、ニュージーランドだけではなかった。無数の宣教師が、無数の国々で、翻訳をつうじて福音を広めようとしてきた。今日でさえなおそうしているのだ。アメリカのある福音派のウェブサイトによれば、聖書は500もの言語に完訳され、ほか1300の言語に部分訳されてきたという†40。さらに2300の言語で、翻訳プロジェクトが着手されているそうだ。なんと野心的な試みだろうか。これらの言語の多くが口頭言語だった(あるいは現在もそうである)。そうした言語で、聖書は最初に翻訳された本だった(あるいはそうなるだろう)というだけでなく、最初に書かれ、印刷された本なのだ。

聖書翻訳のために文字が考案され、文法が成文化されると、奇妙なものができあがることもある。1800年代初頭のマレーシアのケースを見てみよう。著述家のアブドゥッラー・ビン・アブド

---

†39 「ワイタンギ条約」の本文および注釈は以下に掲載されている。<http://www.nzhistory.net.nz/politics/treaty-of-waitangi>, accessed 25 September 2015. 歴史的文脈については以下の文献でとりあげられている。Sabine Fenton and Paul Moon, 'The Translation of the Treaty of Waitangi: A Case of Disempowerment', in Maria Tymoczko and Edwin Gentzler (eds.), *Translation and Power* (Amherst: University of Massachusetts Press, 2002), 25–44. ノーマンビー卿の発言はp. 30に、カイタイアの首長ノペラ・パナカレアオの発言はp. 40に載っている。
†40 アメリカの福音派のウェブサイトは以下になる。<https://www.wycliffe.org/about/why>, accessed 10 June 2015.

ゥル・カディール・ムンシは、マレー語訳聖書を手にとった。この聖書は、オランダ人説教師・医師のメルヒオール・ライデッカーが100年近く前に訳したものだった。ライデッカーはまずラテン・アルファベットで、ついでアラビア文字をもちいてマレー語を記述していた。すぐれた語学教育者でもあったアブドゥッラーは、印刷されたマレー語を目にするのははじめてだったにもかかわらず、すらすら読めることに気がついた。しかし、句読法とイディオムはどうもしっくりこなかった。「すべては私の耳には全く耳ざわりな音としか聞こえなかった。私はこう言いたかった。「この本は白人の本だ」」[†41]。

現在、宣教師は、この手のぎこちない訳文に敏感になり、なるべく避けるようにしているようだ。聖書翻訳の代表的な研究者ユージーン・ナイダは、なんであれ受信側の言語で自然に聞こえるような翻訳を推奨している[†42]。その場合、聖書テキストの文化や教義の訳出に力点はおかれない。西アフリカのバンバラ語で、redemption（贖い）という英語は、字義的には God took our heads out（つまり、奴隷制の鉄の首輪から「頭を解き放つ」）を指すことばに訳さねばならない。ジェイムズ王訳聖書の salute one another with a holy kiss（きよい接吻をもってたがいに挨拶なさい）という一節が、現代のアメリカでは give each other a hearty handshake all round（みなと、心のこもった握手をたがいに交わしなさ

[†41] Haslina Haroun, 'Early Discourse on Translation in Malay: The Views of Abdullah bin Abdul Kadir Munsyi', in Ronit Ricci and Jan van der Putten (eds.), *Translation in Asia: Theories, Practices, Histories* (Manchester: St. Jerome, 2011), 73–87, 76.〔引用された一節は、以下の書籍からの引用になる。アブドゥッラー『アブドゥッラー物語』中原道子訳、平凡社、1980年、97頁。〕

[†42] Eugene Nida, *Toward a Science of Translating: With Special Reference to Principles and Procedures Involved in Bible Translating* (Leiden: E. J. Brill, 1964), 160.〔E・A・ナイダ『翻訳学序説』成瀬武史訳、開文社出版、1980年、232–233頁。〕

い)になっている。

宣教師は、このゆるい訳出法を採用してもいい。宣教師にとっては、自分たちの行いはすべて、神の認可を受けているからだ。宣教師の仕事は、読者に聖典を正確に理解させることというよりは、信者コミュニティにはいるよう説得することだ。宣教師による活動を研究した、ある歴史家はこう述べている――「手に取りやすいことがまずもって重視され、それにともなう歪曲は二の次だった」。その理由は、いかにルーズな翻訳でも、聖書の翻訳は、「ほとんどつねに、手に取りたいと思う人々にとって純益につながった」からだ(翻訳が「純益」を生まなかった時代は、調査されていない)[†43]。

しかし、聖書翻訳の「歪曲」(一般的な語を使えば「ずれ」)は、教義にかかわるものの場合、大問題にもなりかねない。バプテスト派宣教師のウィリアム・ケアリーはカルカッタで18世紀後半から19世紀前半にかけて、ベンガル語やサンスクリット語ほか、インドの諸言語に精力的に聖書を翻訳した。しかし、英国外国聖書協会の不興をかうことになってしまった。その理由は、自分が全身洗礼を信仰しているせいで、「洗礼」のかわりに「浸礼」という語を使ってしまったからだ。

マカオと広東では、ほぼ同時期に、Godという語をどう訳すかの論争が起こっていた。教皇は、ローマ・カトリック教徒に「天主」(「天国の支配者」のような意味)を使うように指導してきた。この

[†43] William A. Smalley, *Translation as Mission: Bible Translation in the Modern Missionary Movement* (Macon, GA: Mercer, 1991), 3, 41, 174.

語は儒学、道教、仏教とは関係なく、大多数の中国人にとってなじみのない語だった。長老派教会のロバート・モリソンは「神」(神性を指す一般名称)のほうを好んだ。しかし、その翻訳が19世紀終わりごろから改訂されて、プロテスタント合同教会の「和合本」となったとき、かわって儒教の用語である「上帝」(古代の君主を指す語)が提案された。それぞれの側を擁護するものは数百ページにもおよぶ文書をしたためたが、結論には達しないままだった。結果として「今日にいたるまで、プロテスタントには「神」を用いる派と、「上帝」を用いる派、「天主」を用いるカトリック教徒」がそれぞれ自分たちの翻訳を使っている[†44]。

この中国での一連の出来事を見れば、キリスト教史において翻訳がはたした役割がわかる。新しい翻訳はどれも、そのコミュニティの信仰を体現するものと見なされがちだ。オリジナルと同等のものと受けとめられるのだ。

聖なる本

ローマ・カトリック教会にとって、中世以来現在にいたるまで、オリジナルの地位にあったのは、ウルガタと呼ばれるラテン語訳聖書だった。4世紀後半に聖ヒエロニムスを中心にしたグループが、ヘブライ語とギリシャ語から翻訳した。次第に、世俗語にも翻訳がおこなわれるようになっていった。世俗語への翻訳がいかに受けとられたのかは、コンテキスト次第だった。カトリ

[†44] Jost Oliver Zetzsche, *The Bible in China: The History of the Union Version or The Culmination of Protestant Missionary Bible Translation in China* (Nettetal, GE: Sankt Augustin, 1999), 77–82.

ック教会は、修道士による注解作業から生まれた断片的な翻訳や対訳にはもともと非常に好意的だったようだ。しかし、教会がかかげる解釈の権威への挑戦と見なされた単独訳は、問題視されることもあった。たとえば英国では、ウィリアム・ウィクリフやその追随者が14世紀に英訳した聖典を一部でも所持していれば、死刑に処された。

16世紀初頭、宗教改革運動は、人文主義という名の古典研究の盛り上がりとともに、新訳が生まれる素地をつくった。新しい印刷技術のおかげで、新訳は広く出まわるようになった。1520年代に、マルティン・ルターが、神学論争、教会批判の一環として聖書をドイツ語訳し、宗教改革の火がついた。ルターに刺激され、ウィリアム・ティンダルが英語での新訳をはじめた。ロンドン大主教にこの計画を禁じられたティンダルは、ハンブルグに引っ越さざるをえなくなり、その後ヴォルムスで翻訳を出版した。

力、宗教、選択

ティンダル訳聖書の刊行がはじまると（新約聖書から、部分的に刊行されていった）、トマス・モアは権威を守るためにティンダル訳を攻撃した。おもしろいことに、モアが着目したのは誤訳ではなかった。むしろ、教会コミュニティが信仰を実践するうえで習慣的に使っていた語彙とはちがう語を用いた点が問題視されたのだ。ティンダルはgrace（恩寵）ではなくfavour（恵み）と訳した。それだけでなく、charity（慈善）ではなくlove（愛）、church（教会）ではなくcongregation（信徒の集まり）、priest（聖職者）ではなくsenior（先達）、confess（告白）ではなくacknowledge（承認）とした。信者にとっては、ティンダル訳聖書に書かれているのは、権威ある教会組織のための青写真ではなく、プロテスタントの信仰実践寄

りのものだったのだろう。

16世紀末、ローマ・カトリックも、この抗いがたい時流に屈することになった。神学者の一団が、カトリック・コミュニティの信仰と習慣を表現する翻訳にとりかかった。結果として、ティンダル訳聖書とも、ほかのプロテスタントや英国国教会の翻訳ともまったくちがうものができた。リームズ・ドゥエー聖書として知られるこの翻訳では、daily bread（日ごとのパン）のかわりに、supersubstantial bread（超物質的パン）という語が、Holy Ghost（聖なる霊）のかわりに、Paraclete（慰め主）という語が使われた。こうした語彙の選択は、ユージーン・ナイダが推奨する翻訳の対極にある。神学者たちは聖書を、いち翻訳という体裁がゆるすかぎり難解にし、ごく普通の英語話者には理解困難にしてしまっている。非日常的な聖なる語彙を保持し、釈義するためには、聖職が不可欠だという信念を表明したのだ[†45]。

上記のような事例で訳語が問題になるのは、解釈コミュニティの信仰を問うものになる場合にかぎられている。国際条約の翻訳のときと同じ原則だ。その最たる例が、聖書の歴史上もっとも有名な訳語にもなっている。「ローマの信徒への手紙」第3章第28節の翻訳で、人間は行いではなく、allein durch den Glauben（信仰心のみによって）正当化されるとルターはきっぱりと書いたのだ。

論争を呼んだ語はallein（のみ）だった。共済への道筋は、善き

[†45] A. C. Partridge, *English Biblical Translation* (London: Deutsch, 1973), 22, 41, 95.

行いや、信仰心からの善き行いによるのではなく、信仰心のみによってひらかれると主張したのだ。ルターはあれこれと述べて、自分の翻訳を弁護した。ひとつには、allein durch den Glaubenは日常的な、慣例的なドイツ語であり、alleinを省くのは、この一節を格式ばった感じにしてしまうというものだった。これは、前節で見た国際連合安全保障理事会決議第242号の、territoriesと the territoriesのケースにも似ている。ルターのほかの言い分は、自分の翻訳は先人の解釈に合わせたというものだった。その先行訳は教皇の怒りをかわなかったのだという[†46]。事実、ルターは正しかった。聖トマス・アクィナスのような、不可侵なカトリックの権威でさえ、「のみ」にあたるラテン語を、翻訳の同じ箇所に挿入していたのだ(in sola fide)[†47]。

ちがいは、アクィナスとルターの翻訳が登場したコンテクストにある。ルター訳の一節は、ローマ・カトリック教会の解釈コミュニティへの挑戦の一環であり、その場所に新しい解釈の道筋をつけようという試みの一環でもあった。

聖書翻訳者の多くは、版によって訳文に幅があるのはいいことだという認識をもっていた。ジェイムズ王訳聖書の訳者たちは、「多くの翻訳があったほうが、聖霊のおことばの意味を知るうえで有益である」と序文に記していた。それにもかかわらず、彼らがつくった聖書こそが、英国国教会の「聖なる本」でありつづけ

力、宗教、選択

[†46] ルターは以下の文献に引用されている。Daniel Weissbort and Astradur Eysteinsson (eds.), *Translation — Theory and Practice: A Historical Reader* (Oxford: OUP, 2006), 57–62.
[†47] アクィナスの翻訳は以下の書籍に引用されている。Joseph A. Fitzmyer, *Romans, A New Translation with Introduction and Commentary* (New York: Doubleday, 1993), 360–1.

てきた。コミュニティの儀式や信仰を具現化するものとしてひとたび権威をもつと、翻訳という代替品としての肩書きが脱け落ちてしまったのだ。

ことの次第は、聖書を生産した印刷技術に幾分は拠るものだ。ジェイムズ王訳聖書は、英国国教会に置かれるべき本だった。自分の聖書を持ちたかった信徒は、1冊の本——1冊の聖なる本——で十分だと思おうとしたのだろう。現在、ウェブサイト上で数多あるテキスト同士をかんたんに比べることができ、おかげでキリスト教徒もどの訳文も神のことばそのものではなく、翻訳のひとつにすぎないとわかるようになった。

これは事実、イスラム世界で翻訳がどう受けとめられてきたかにも通じるものだ。印刷技術は理由の一部にしかならない。コーランは翻訳が禁止されていると、よく思われている。しかし、実態はちがう。イスラム教成立期から、コーランの解釈や説明は、口頭での翻訳や、書きつけられたり、(最終的には)印刷された翻訳でおこなわれてきた。たとえば、ペルシャ語への翻訳が、初期にいくつか存在しているのは有名だ[†48]。ちがいは、こうした翻訳がどう提示され、理解された(されている)かということだ。

翻訳は、新たな聖典にはならない。聖書の翻訳が聖書になるのとはちがい、コーランの翻訳はコーランにはなれない。翻訳はむしろ、聖典を理解するうえでの手引きのようなものと見なされており、聖典はアラビア語のまま残る。翻訳は、普通ムハンマドの

[†48] Travis Zadeh, *The Vernacular Qur'an: Translation and the Rise of Persian Exegesis* (London: OUP, in association with the Institute of Ismaili Studies, 2012), 1–19.

ことばの行間にさしはさむかたちか、対訳形式で印刷された†49。こうしておけば、翻訳はソーステキストにとってかわることはない。翻訳はソーステキストを指ししめしているのである。翻訳は「神のことば」の座を占めることはできない。かわりに翻訳がしめすのは、ほかの、人間の言語での聖典の解釈法なのだ。

さいなむ検閲

英国国教会と権力者たちは、ティンダル訳聖書を嫌った。1520年代に翻訳の刊行がはじまると、すぐに弾圧がはじまった。書店は仕入れを禁じられた。印刷された本は燃やされた。しまいには、ティンダル自身もとらえられ、自分の訳書のように焼かれた（翻訳だけが理由ではなかったが——ティンダルはヘンリー8世が計画していた離婚を批判もしていたのだ）。

1991年に殺害された訳者は、首筋と顔面をめった刺しにされていた。殺されたのは五十嵐一、サルマン・ラシュディの小説『悪魔の詩』の日本語訳者だった。『悪魔の詩』は一部のイスラム教徒を憤慨させ、イランの指導者ホメイニ師は、本書の出版に手を貸した人間は、みな殺害せよと命じた。五十嵐の殺害犯（いまだにつかまっていない）に、ホメイニの指令を実行する意図があったのはまちがいない。ラシュディのイタリア語訳者エットーレ・カプリオーロや、ノルウェーの出版者ミリアム・ニゴールにも危害の手はおよんだ。

---

†49 パラレルテキストの近年の例としては以下がある。*Al-Qur'ān: A Contemporary Translation*, tr. Ahmed Ali, revised printing (Princeton, NJ: Princeton University Press, 2001).

もちろん、あらゆる本は敵意にさらされてきた。あらゆる本が検閲の対象になってきた。しかし、外からの考えをもたらすという性質上、翻訳はつねに、ナイーブな読者と、怒りっぽい権力者をことさらに刺激しがちだった。今日、サウジアラビアのような独裁政権では、インターネット通信にコンテンツフィルターをかけるだけでなく、グーグル翻訳のような翻訳アプリも禁止せざるをえない。翻訳アプリはフィルターを回避するのに使えるからだ。

ナチス・ドイツでは、(政治文書をのぞく)国内で書かれたテキストよりも、翻訳は検閲の厳しい目にさらされてきた[50]。一方、フランコのスペインでは、翻訳はほかのテキストと同じシステムを通過した。つまり、宗教、道徳、教会、政権などなどをどう扱っているか、政府がふるいにかける必要があった[51]。

しかし、検閲はそれでも、翻訳を目の敵にして噛みつこうとした。なぜなら、スペインの大衆は厄介にも、アメリカ文化に目がなかったからだ。そのせいでときおり、奇妙な事態もおこった。1948年の映画『凱旋門』では、イングリッド・バーグマン扮するヒロインは、結婚しないままさまざまな男性と関係をもつ。しかし、スペイン語の吹き替えはそうなっていない。ある場面で、バーグマンは、一緒にいる男は夫かどうか訊かれる。バーグマンは首を横に振る――同時に、スペイン語の吹き替えではSí(はい)と言っているのだ[52]。

---

[50] Kate Sturge, 'Censorship of Translated Fiction in Nazi Germany', *TTR: traductions, terminologie, rédaction* 15.2 (2002), 153–69.
[51] Marta Rioja Barrocal, 'English-Spanish Translations and Censorship in Spain 1962–1969', *inTRAlinea* 12 (2010): <http://www.intralinea.org/archive/article/1658>, accessed 7 June 2015.

1966年、フランコ政権が導入した規定は、検閲の緩和ともとれるものだった。出版社は事前に全文を検閲に提出しなくてもよくなった。かわりに、任意の部分を提出すればいい。しかし実際には、手つづきが変わっても、状況は改善されなかった。むしろその反対だった。出版後、本が権力の機嫌を損ねるようなことがあれば、本は断裁される——逆に高くつくのだ。そして出版社も共犯と見なされかねない。ゆえに概して、政権の逆鱗に触れかねないものは出版しないようにと（おそらく検閲それ自体よりも）細心の注意を払うようになったのだ。

この事実がおもしろいのは、検閲の最悪な点を教えてくれるからだ。それは、「人々」が異口同音に読みたいと思うテキストを、唯一の当局がたんに禁止したり、削除したりするように圧力を加えるだけではない。むしろ、個々人が権力に忖度して、自分なりに受けいれたり、反発したりする点が問題なのだ。プロパガンダは、たとえ人々が賛同しない場合や、抜け道をさがそうとする場合でも、国家の要求を人々に内面化させることができる。それゆえ、検閲とは明示的な規則でもあるが、圧力と疑心暗鬼が複雑に絡みあって内面を侵食するものでもあるのだ。

1930年代、ムッソリーニ政権下のイタリアで、モンダドーリ社に勤めていた小説家・翻訳家のエリオ・ヴィットリーニは、D・H・ロレンスの『セント・モア』をファシスト好みに短くするよう提案した。自分の小説も検閲されていた当時にあっては、ヴィットリー

---

†52 Camino Gutiérrez Lanza, 'Spanish Film Translation and Cultural Patronage: The Filtering and Manipulation of Imported Material during Franco's Dictatorship', in Maria Tymoczko and Edwin Gentzler (eds.), *Translation and Power* (Amherst: University of Massachusetts Press, 2002), 141-59, 147.

ニは政府による検閲がはいる前に、自己検閲すべきと感じた[†53]。ナチス・ドイツでは、発禁の公式の指標はなかった。なぜなら、書店は自らの「健全な本能」にしたがって、どの本が民族(フォルク)を害するのかを判断することが求められたからだ。つまり、書店も検閲の役目をはたすことが求められていた。

ほぼすべての検閲は、特定の層に対して不利に働く。16世紀に話を戻すと、王侯貴族、高位聖職者は、一般人が所持していれば罰せられる聖書の翻訳を持っていてもまったくおとがめなしだった。ヴィクトリア朝時代の英国では、(外国語のテキストでは問題がなくとも)翻訳は猥褻だという理由で訴追される危険があった。たとえば1888年、出版者アーネスト・ヴィゼテリーは、エミール・ゾラの小説の英語版を出版していたかどで法廷に引きだされた。予防策として前もって部分的に削除していたにもかかわらずのことだった(なお、フランス語原本は規制なしに流通していた)。その理由は、不道徳なゾラの影響を受ける危険性があるのは無学ものにかぎると思われていたからのようだ。フランス語がわかる読者は善人だろうし、体面をつくろうこともできるだろうから。実際そうだったのかもしれないが、手のほどこしようがないほど腐りきっていた可能性もある。

ヴィクトリア朝時代の検閲から逃れるもうひとつの方法は、高価な私家版を出版することだった。こうすれば、特権的な人間しか読めなくなる。これが、リチャード・バートン卿が、その華々しくも好色な『千一夜物語』の英訳(1885年)を目こぼしされたわけ

[†53] Guido Bonsaver, 'Fascist Censorship on Literature and the Case of Elio Vittorini', *Modern Italy* 8.2 (2003), 165–86, 175.

である。

この種の検閲のしくみの複雑さは、作家と翻訳家に、特殊な表現の可能性をひらきもする。スターリン政権下で、アンナ・アフマートヴァとオシップ・マンデリシュタームは、難渋な文体の詩を発達させた。慧眼の読者には、大っぴらに言えることよりも、その文体のほうが含蓄に富んでいた。エウジェーニオ・モンターレも、ムッソリーニ政権下のイタリアで同じようなことをしていた。17世紀の英国で、ジョン・ドライデンほかの作家たちは、公にできない政治的発言の隠れ蓑として翻訳を用いていた。ドライデンは、いちカトリック教徒として、王位はステュアート家に継承されるべきと考えていた。プロテスタントのウィリアムとメアリーは簒奪者だ。『アエネーイス』の英訳で、ローマの覇権は「手堅い継承」によって受けつがれたとしているが、この対比はよくわかった読者には的を射たものだったろう。しかし万一とがめられたとしても、ドライデンはウェルギリウスに罪を着せることができた[†54]。

検閲が文学の嗜好に浸透し、著者や訳者の文体に影響するとわかれば、検閲のある文化と、自由に思える文化とはつながっていることに気がつく。もちろん、政府や、反社会的勢力による検閲は、とりわけ厭わしいものだ。しかし、いかなる文化であれ、著者や翻訳者は、読者や批評家が求めていそうなものがなにか、意識して書いている。けしからんと思われたテキストは酷評

[†54] Matthew Reynolds, 'Semi-Censorship in Browning and Dryden', in Francesca Billiani (ed.), *Modes of Censorship and Translation: National Contexts and Diverse Media* (Manchester: St. Jerome, 2007), 187–204.

されて潰されるか、たんに出版できないかだ。このことが意味するのは、翻訳者はみな、文化的に受けいれられそうなものと、ほかに書きたかったものとのせめぎあいの中で、ドライデンやヴィットリーニと同じような感覚を発達させなければならないということだ[†55]。第1章で見たように、あらゆる翻訳は外交ぶくみである。翻訳者は、どんなに骨が折れようとも、自分が訳しているテキストの持ち味を表現する責任があるのだ。テキストを読解可能にするのも、責任のひとつだ。

翻訳の重責

責任の明確化をはかる一助として、翻訳者は職能団体に頼ることもある。多数の団体が行動規範を発行している。そこでしばしばとりあげられている問題として、訳すのを頼まれた文書が、非合法にだったり、悪事に使われそうだと思ったとき、どうすべきかというものがある。アイルランド翻訳・通訳協会(ITIA)も、そういった団体のひとつだが、翻訳者や通訳はそのような仕事を引き受けるべきではないとしている。このようなルールは、翻訳者が実務をこなすだけのロボットではないという、重大な真実をしめしている。翻訳者・通訳は自由意志をもった人間であって、自分の言動に責任がある。

しかし奇妙なことに、まさにその翻訳がなされるさいに、訳者の責任や主体性は小さくなるようなのだ。ここで、ITIAの規範をもういちど参照してみる。

[†55] Matthew Reynolds, *Likenesses: Translation, Illustration, Interpretation* (Oxford: Legenda, 2013), 89.

> 協会の構成員は、自身の能力を最大限発揮して、オリジナルテキストの高品質で忠実な訳を提供する努力をする。その訳は、自分個人の解釈、意見、影響力から完全に自由でなければならない。†56

しかし第4章で見たように、翻訳には個人の解釈がつきものだ。訳者の解釈は、ソーステキストのジャンルや翻訳の目的にあわせて、柔軟に発揮される。

ほとんど自由がない状況でさえ、翻訳者はなお、人間として自分の職務にとりくんでいく。プリモ・レーヴィは、ナチスの強制収容所で通訳の役目を押しつけられたユダヤ系ドイツ人の例をだしている。

> Si vedono le parole non sue, le parole cattive, torcergli la bocca uscendo, come se sputasse un boccone disgustoso
>
> 彼の言いたくない言葉なのが分かる。ひどい言葉だ。言う時に口をゆがめた。まずい食べ物を吐き出すみたいだ。†57

ヒトラーの『わが闘争』を訳せと言われたとしたら、自分のせいで英語になっていくことばとなんとかして距離をとりたいとも思う

---

† 56 Irish Translators' and Interpreters' Association Cumann Aistritheoirí Agus Teangairí na Héireann Code of Practice and Professional Ethics, Articles 5.1.3 and 4.1: http://translatorsassociation.ie/component/option,com_docman/task,cat_view/gid,21/Itemid,61/. 以下の文献も参照のこと。Julie McDonough Dolmaya, 'Moral Ambiguity: Some Shortcomings of Professional Codes of Ethics for Translators', *The Journal of Specialised Translation* 15 (2011): <http://www. jostrans.org/issue15/art_mcdonough.php>, accessed 22 July 2015.

† 57 Primo Levi, *Se questo è un uomo* (1947; Milan: Einaudi, 1958), 21.〔プリーモ・レーヴィ『改訂完全版 アウシュヴィッツは終わらない これが人間か』竹山博英訳、朝日新聞出版、2017年、23頁。〕以下の書籍も参照のこと。Michael Cronin, *Translation and Identity* (Abingdon: Routledge, 2006), 77.

だろう。たとえば、序文や脚注で、この本を批判的議論のために訳したのであって、賛同してほしいわけではないとはっきりさせておくこともできる。

ITIAの規範は、ソーステキストが中立的で、翻訳の目的がはっきり定まっている場合にはうまく適合するだろう。たとえば、国際企業の依頼でビジネス文書を訳したり、学術出版社の依頼で医学書を訳したりする場合だ。この手の場合、訳者による選択は、定められた規範内に厳密に制限されている。しかしテキストが複雑になれば、訳者の選択の余地も大きくなり、それとともに責任も大きくなる。

ベンガル語作家モハッシェタ・デビの例をあげてみよう。彼女の小説は女性に対する暴力や、抑圧を描いている。デビの作品を英訳したのは、研究者でもあるガヤトリ・スピヴァクだった。スピヴァクの説明によれば、デビの文体的、政治的挑戦を可能なかぎり再現すべく「テキストに降伏」しようとしたのだという[†58]。しかし、デビのマラヤーラム語(インド南部のケララ州の言語)の訳者リーラ・サルカールには、同じ方法が採れるとは思えなかった。英語が話されている西部とはちがい、ケララ州ではフェミニズムは広まっておらず、サルカールはデビの作品の目を覆うような暴力シーンをやわらげることにした。デビの短編「ドラウパディー」の、血みどろの対決の瞬間を、スピヴァクはこう英訳している —— She looks around and chooses the front of Senanay-

---

[†58] Gayatri Chakravorty Spivak, *Outside in the Teaching Machine* (Abingdon: Routledge, 1993), 183. 〔ガヤトリ・チャクラヴォーティ・スピヴァック「翻訳の政治学」鵜飼哲・崎山政毅・本橋哲也訳『現代思想』第24巻第8号、1996年7月、32頁。〕

ak's white shirt to spit a bloody gob at〔ドラウパディーは、あたりを見まわし、血のまじったツバをはくのに、シェナナヨクの白い制服を選ぶ〕‡10。サルカールのマラヤーラム語の翻訳では、aroundのあとの内容がすべて削除されている。

この選択が正しいかどうかは、当時の状況についてもっとよく知らなくては判断できない。しかし、わかることもある。リーラ・サルカールが選択をしたということ、いくつもの責任が発生するコンテキストでそうしたということだ。ソーステキストと著者に対する責任。潜在的な読者に対する責任。出版社に対する責任。自分自身に対する責任。自分の執筆環境において使用できそうなことばを勘案したうえで、サルカールは結末の一部を削除するのが最善の選択だと決断したのだ†59。これは、ファシスト政権下のイタリアでのエリオ・ヴィットリーニと同じであって(前節で触れた)、エリザベス女王に礼儀をつくしたドラゴマンと同じでもある(第1章で触れた)。翻訳はたんなる「言語」にされるのではけっしてない。翻訳は個別の環境で、個別の目的のために、個別の言語にされるのだ。

つまり、ほとんど自由がない状況でさえも(ITIAの規範がうまくあてはまる場合でさえも)、あるコンテキストになにが適切な語か見つけるのは、想像力と感性という際だって個人的な特質でありうるということだ。移民のような弱い個人と、裁判所のような権威ある機関とのあいだに立って調停する通訳のことを考えてほしい(第

力、宗教、選択

---

‡10 モハッシェタ・デビ「ドラウパディー」臼田雅之訳『ドラウパディー』臼田雅之・丹羽京子訳、現代企画室、2003年、32頁。
†59 Meena T. Pillai, 'Gendering Translation, Translating Gender', in N. Kamala (ed.), *Translating Women: Indian Interventions* (New Delhi: Zubaan, 2009), 1–15, 13.

4章ですでに触れた状況だ)。通訳は、その人が話す内容を英語にするという意味で「忠実」なこともさることながら、適切な文体で、十分な正確さで証言を伝えるために、状況に敏感でなければならない。

だからこそ、腕利きの通訳が、司法やソーシャルサービスを機能させるというその目的のためだけに必要なのだ[†60]。司法の場を熟知した通訳がいなければ、審理はとりやめになるだろう。ソーシャルサービスの現場では、本来その任ではない人に、翻訳の責務が降りかかってくることも少なくない[†61]。オックスフォードの学校に通うパキスタン系英国人ティーンエイジャー、ラビア・レーメンが記憶を書きとめた詩では、この点がありありと指摘されている。

> 小さな部屋に座っている。部屋には机がひとつと、椅子がみっつ。すでに息が詰まっている。
> 面接官は背の低い、不機嫌そうな女性だ。その眼鏡は、小さな顔には不釣り合いに大きい。
> 面接官のバッジは、彼女の青い洋服にさかさまにぶらさがっている。ぼくたちに挨拶すらしない。
> どうにか気をひかなくちゃならない。ぼくはなんとか口調をおさえた——なんとか!
> ママに通訳してあげた。ママは英語を話せない。ぼくがいなかったら、面接もなかった。通訳を雇えないんだ、もうこれ以上。

[†60] Gloucestershire County Council, 'Interpretation and Translation: Policy and Guidance for Staff': <http://www.gloucestershire.gov.uk/extra/CHttpHandler.ashx?id=49179&p=0>, accessed 30 June 2016.
[†61] 'Trials collapsing thanks to "shambolic" privatisation of translation services': <http://www.theguardian.com/law/2013/feb/06/court-interpreting-services-privatisation-shambolic>, accessed 12 July 2015.

ぼくはお金をもらえない。でも、ぼくの仕事なことに変わりはない。

学校があるのは理由にならない。不公平だ。[†62]

英国でも、イタリアでも[†63]、ほかの地域でも、ソーシャルサービスの名目のもと、似たような要求が、訓練もうけていなければ報酬もない通訳にされる機会は増えている。

有力な選択肢

訳語を選ぶということは、言語のある特定の使用法を（別の使用法よりも）後押しすることにつながる。ジェイコブ・ブロノフスキーによる1973年のTVシリーズのタイトル、The Ascent of Manを翻訳しなければならなくなったと想像してみてほしい。ジェンダーをあらわす語彙にたいする感覚は1970年代とは変わってきている。現在、このシリーズをリメイクするのなら、ちがうタイトルをつけたほうがいい。しかし、別の言語ではどうすればいい？歴史的文脈に忠実に、1970年代式の用語に似たものを選んで、ジェンダーによる偏見をそのままにしておきたいと思うかもしれない。あるいは、もっと自分が使っているものに近い現代のことばにタイトルを翻訳したいと思うかもしれない——おそらくThe Development of the Human（人類の発展）のようなものに[‡11]。

[†62] Rabia Rehmen, 'Translator', in Kate Clanchy (ed.), *The Path: An Anthology by the First Story Group at Oxford Spires Academy* (London: First Story Limited, 2015), 20.

[†63] Annalisa Sandrelli, 'Gli interpreti presso il tribunale penale di Roma: Un'indagine empirica', *inTRAlinea*, 12 July 2015, 13: <http://www.intralinea.org/archive/article/1670>, accessed 15 July 2015.

[‡11] なお、書籍版の邦訳のタイトルは『人間の進歩』になっている（道家達将・岡喜一訳、文化放送開発センター出版部、1980年）。

最初の選択肢をとるのなら、自分自身のことばではなく、歴史的に見て適切だと感じたことばを使っているということを、コンテキストではっきりさせたいと思うかもしれない。いわば、ノスタルジックな「70年代のTVシリーズ」のボックス・セットの1本として、このタイトルが使われる場合だ。第2の選択肢をとるのなら、脚注をつけてより逐語的なタイトルの翻訳を添えたいと思うかもしれない。この翻訳手法は、言語の変化と、訳語の選択がその変化を後押しする過程を可視化している。

この種の決断は、ジェンダーとセクシュアリティにかかわるとき、とりわけ責任が重くなりがちだ。南アフリカのレソト王国では、女性同士が密な友人関係を築くことがある。その関係は、性的なものもともなうが、うまく結婚生活と両立するのだ。この関係をあらわすソト語はmotsoalleという。どう翻訳すればいい？「レズビアン」という語は、この文脈にあわない前提も持ちこんでしまう。ある訳者は「非常に特別な友人」というフレーズを採用したが、お上品ぶっている感じもする。たぶん、最善策はこのソト語をそのまま使い、脚注をつけることだろう。結果、英語に新語が生まれ、ジェンダー・アイデンティティとセクシュアリティの新たな面をその名で呼べるようになる。

世に目新しいものはあふれていて、新しいあり方を表現する、新しいことばは、いつ言語の中にやってくるかわからない。翻訳はこの一助となる。マグレブのアラビア語では、同性愛を指す語は伝統的に、性的役割が能動的か受動的かによって区別され、受動的な方は蔑まれてきた。しかし、新しい語のmithliは、より相互的な同性愛のかたちを表現し、英米で使われているgay

という語とだいたい重なる意味になっている。mithliは「同じ」という概念をふくんでおり、おそらくはフランス語のhomoの翻訳に影響されたと思われる†64。

翻訳者には言語の独自性や、ソーステキストの「他者性」を強く押しだす責任があると、言われることもある。この意見は、19世紀ドイツの哲学者フリードリヒ・シュライアマハーの論考に拠っている。1980年代に、フランスの文学研究者アントワーヌ・ベルマンによって理論化された†65。英語圏では翻訳理論家のローレンス・ヴェヌティによって広まった。しかし、翻訳の「異化」的文体の価値は、つねにコンテキスト次第だ。motsoalleという語を英語にもちこめば異化になる——この場合、そうすべきだろう。しかし、ケララ州のリーラ・サルカールや、エリザベス女王に手紙を書いているドラゴマンにとっては、テキストが読者を怒らせないことのほうが大切だった。翻訳者の責任は多岐にわたっていて、せめぎ合うパワーからのプレッシャーにさらされている。

力、宗教、選択

---

†64 William J. Spurlin, 'Queering Translation', in Sandra Bermann and Catherine Porter (eds.), *A Companion to Translation Studies* (Chichester: Wiley-Blackwell, 2014), 298–309, 300, 307.
†65 Antoine Berman, *l'Épreuve de l'étranger: culture et traduction dans l'Allemagne romantique: Herder, Goethe, Schlegel, Novalis, Humboldt, Schleiermacher, Hölderlin* (Paris: Gallimard, 1984).〔アントワーヌ・ベルマン『他者という試練——ロマン主義ドイツの文化と翻訳』藤田省一訳、みすず書房、2008年。〕

vi
世界のことば

翻訳はいつも、いたるところでおこっている。だれもが、ある言語のことばを、別の言語や、同じ言語で言いかえることができる。インターネットにアクセスできさえすれば、だれもがブラウザの「翻訳」ボタンをクリックできる。しかし出版や、公的文書、外交交渉、商取引、ワールドニュースの公的、商業的世界になると、翻訳はきわめて限定されている。公的規則や市場競争力は結託して、だれにそれが可能で、いかにそれがなされ、どの言語が関与するのかを決定する。こうした国際構造の内部では、(前章で考察したような)パワー同士のせめぎ合いとくらべても、暴力や、抵抗の余地はあまりない。しかし実際、翻訳と力がとりわけ密にからみあうのはここなのである。

ブック・トレード

国際的な出版マーケットを例にとってみよう。完璧に正確なデータは収集不可能だ。ユネスコの「インデックス・トランスラショナム」が、1979年から2009年にかけて100か国のカバーを試みている[66]。でも、データは穴だらけだ。自国の記録をとっている国は多い。しかし、ばらばらなため比較は難しい。そのため、大雑把な結論を導かざるをえない。それでも、インパクトは強烈だ。世界中で翻訳されている本全部のうち、およそ40パーセントが

---

[66]「インデックス・トランスラショナム」は以下にある。<http://portal.unesco.org/culture/en/ev.php-URL_ID=7810&URL_DO=DO_TOPIC&URL_SECTION=201.html>.

もとは英語で書かれたものだ（アメリカ英語、ワールド・イングリッシィズをふくむ）。ここに3言語（フランス語、ドイツ語、ロシア語）をくわえると、あらゆる翻訳本の元の言語の、4分の3をおさえてしまえる（1991年のソヴィエト連邦崩壊以降、ロシア語の存在感はいくらか衰えたにせよ）。

次に訳されている言語のグループを見てみよう。その第2集団に属する言語は、翻訳書全体のうち、それぞれ3から1パーセントを占めている。イタリア語、スペイン語、スウェーデン語、日本語、デンマーク語、ラテン語、オランダ語、古典ギリシャ語、チェコ語がそうだ。これらの言語は勾配の上の方に位置していて、じりじりと下っていった底にはアーホム語、ルシュツィード語、トク・ピシンのような、めったに翻訳されない言語がある。その途中には、中国語、アラビア語、ポルトガル語が16、17、18位に、ずっと下がってヒンディー語が45位につけている。こうした言語は世界でも有数の、話者の多い言語だが、比較的わずかな翻訳しか生みだしていない。

世界で一番翻訳本を提供している文化圏は、比較してごくわずかな数しか受けいれていない。数字は通常、その国で刊行されている本の総数に比してパーセンテージであらわされる。そして、アメリカとイギリスでは、翻訳書は全書籍の3パーセント以下でしかない。対してフランスやドイツは、10から12パーセントが翻訳書である。対照的に、ギリシャでは翻訳書は全書籍の40パーセントを占める。こうした数字を見て、単純素朴なリアクションをすれば、「わあ、ギリシャ人はなんて心が広いんだ！ 英国人とアメリカ人はなんて視野が狭いんだ！」というものになる。

世界のことば

しかし、実情はもう少し複雑だ。もっとたくさんの本が、もっといろいろ、英語に翻訳されたほうがいいのはまちがいない。しかし、イギリスとアメリカのパーセンテージがここまで低く見えるのは、国内の総出版点数があまりに多いせいもある。イギリスではおよそ18万点の本が毎年出版されている。うち2.5パーセントの本が翻訳だとしても、約4500点にもなる。ドイツでは約8万2000点の本が刊行され、フランスでは約4万2000点の本が刊行されている。それぞれの10パーセントは8200点と4200点だ。ギリシャでは約7000点の本が刊行されている。その40パーセントは2800点だ。つまり、それぞれの言語に訳されている本の数は、パーセンテージほどばらつきがあるわけではない。単純に本の点数を数えれば、英語話者は翻訳に敵意などまったく抱いていない。

ほかにふたつ、この数字のおかげではっきりする真実がある。1番目に、出版社が手がけ、インデックス・トランスラショナムによって測られるタイプの翻訳は、世界中でおこなわれているさまざまな翻訳のひとつにすぎないということだ。これは、第2章で考察した「厳密に定義された翻訳」だ。別個の、（国家が後ろ盾であることが多い）標準語の書きことば同士で意味が対応するものをつくるプロセスだ。

2番目は、本のかたちになる翻訳は、きわめて西ヨーロッパと北アメリカ中心のものだということだ。グローバル翻訳出版の約40パーセントが、英語、ドイツ語、フランス語をメリーゴーランド式にぐるぐるまわっているのだ。

しかし、「厳密に定義された翻訳」だけが、本にかかわる超言語活動ではない。インデックス・トランスラショナムによれば、インドや中国では翻訳したり、されたりする本がかなり少ない。しかし、インドや中国と西洋とでは、言語のあり方がちがっている。インドではそれぞれ100万人以上の話者がいる50の言語があり、それに加えて多くの地域語や方言がある。中国はさらに多言語国家だ。加えて事態を複雑にしているのが、多くの相互に理解不能な話しことばが、書きことばを同じにしているという点である。大量の翻訳が、インデックス・トランスラショナムのレーダーをかいくぐるかたちで、インドや中国ではおこなわれているが、口頭での再話や本にならないものもある。

翻訳本の販路は、文化的覇権が北アメリカと西ヨーロッパに握られていることを明かしている。覇権というものがたいていそうであるように、よい面もあれば悪い面もある。英国での大量の英語書籍の出版は、外国のものにたいする反発と同じくらい、文化的エネルギーを秘めている証でもある。しかし、このエネルギーは、特定の文化的システムを通って伝わるものだ。つまり、ことばを特定の方法でならべ、本にするというシステムだ。「厳密に定義された翻訳」は、この文化的システムの一部分だ。

西洋文化が発展するにつれ、翻訳をめぐってふたつの変化が起こるだろう。1番目はシンプルに、訳される言語も、本も今まで以上に増えるということ。現在のところ、そのために動いているのは、主に翻訳に関心をもつ人々だ。

2番目は、「厳密に定義された翻訳」という前提と実践それ自体

が、ずれはじめるかもしれない。等価語をひとつだけ提供するよりも、ソーステキストが指しうる数通りの意味をときはなつ、より複合的な翻訳手法があるのかもしれない（私はこれを「プリズム的翻訳」と呼んでいる）。ある標準語から別の標準語へとジャンプするのではない翻訳手法があるとすれば、言語を混ぜあわせることだろう（漢文訓読のように）。さまざまな文体や方言に訳されることが増えるかもしれない。こういった翻訳が、はじまる兆しは見えている。しかし、なぜなのか、目的はなんなのかについての議論は少ない。欧州各国の文化は、内外の圧力（人間もそうだし、文化もそうだ）にさらされて変化している。文化はかつてより柔軟で多言語的なものになってきているし、言語使用の実態が一筋縄ではいかず、多様性に富んでいるという意識は高まっている。こういった事態の進展と、「厳密に定義された翻訳」の構造のあいだには緊張が生まれている。本質的に翻訳は寛容な、探求心あふれる営みであって、監督制限するものというよりは育て伸ばすものだ。翻訳のこういった側面を伸ばしていくべきだ。

公式ルート

国際連合や欧州連合の諸機構のような、多国籍政治機関は、大量の翻訳を生みだしている。欧州議会だけで約330名の常勤の通訳を雇用しており、ピーク時にはさらに1800名のフリーランサーが仕事に駆りだされる。これは通訳だけにかぎった話だ。膨大な文書も翻訳される。しかし、ブック・トレードがそうだったように、こうした機関では、翻訳は言語の使用を増やしもするが、同じくらい制限する。

国際連合は通例、アラビア語、英語、スペイン語、中国語、フランス語、ロシア語の6つの公用語で運営され、かなりの文書がドイツ語にも翻訳もされる。ここまでですでに7×6＝42通りの言語の組み合わせに対処しなくてはならない。しかし、欧州議会は組織の性質上さらに多言語であって、24の公用語がある。つまり、552通りの組み合わせがある。これは、言語上の難題であると同時に運営上の難題でもある。

対策として、仲介語（通常は英語）を利用したリレー通訳方式を議会は採用している。この方式は、（たとえば）ポーランド語とポルトガル語を直接通訳できる人間が見つからないときに役に立つ。ポーランド語から英語に訳せる人間がいて、英語からポルトガル語に訳せる人間がいれば、まわしていける[†67]。

欧州議会は理論上だけでなく、実務上においても多言語で運営されていないのも事実だ。法制定を準備する委員会は、フランス語、ドイツ語、英語のみで運営されている。そして委員は、議会に議案を提出するさいには英語を話す。欧州議会議員のほとんどは、それにならい、英語（ほとんどの場合、議員の第2言語）で受け答えする。結果として、最初に想定したほど通訳はいらないことになる。英語が主流であり、ほとんどまったく使われない言語もある。2012年の議会審議をつうじても、たとえばラトヴィア語、マルタ語、エストニア語が話された時間は、それぞれ1時間に満たない[†68]。

[†67] 欧州議会の翻訳についての情報は以下のサイトにある。<http://www.europarl.europa.eu/aboutparliament/en/20150201PVL00013/Multilingualism>, accessed 25 July 2015.

そしてもちろん、無数のヨーロッパの「非公用語」と方言——マン島語、ブレシア方言、ロマ語、ヴォート語、ピーテ・サーミ語、カライム語、イストリア語などなど——はまったく使われない。立法機関がもとめているのは、翻訳や通訳を通しても、等価なものが確保できる標準的な国家語なのだ。さもなくば議論の参加者は、意味ありげな誤解のジャングルの中でお互いを見失ってしまうだろうし、EU法は場所がちがえば意味もちがうということになってしまう。

多国籍政治機関も、国際的ブック・トレードと同じだ。そこで翻訳は、国家語としても国際共通語としても圧倒的な影響力をもつ英語と手をとりあって、標準的な国家語を後押しする方向にむかいがちだ。翻訳は、このしくみを維持するよすがとなる。そして今度は、このしくみがあるおかげで（そうでない場合よりも）、翻訳がしやすくなる。

多国籍政治機関において、言語のはたらきを制限する術はこれだけではない。議論と立法は、使用されるわずかな国家語の標準語ですら、まんべんなく活用するわけではない。国家語で言うのが可能でも、欧州議会の審議、ましてや法律では普通言わないようなことは山ほどある。たとえば、the skip coughed and the thrower dumped the handle（スキップがせきばらいをして、スローワーはハンドルをはなした〔カーリング〕）とか sweet dreams my love（おやすみ、ダーリン）とか that'll be two pounds fifty（2ポンド50オン

---

†68 各言語でされた議論の時間は以下を参照した。<http://www.theguardian.com/education/datablog/2014/may/21/europeanparliament-english-language-official-debates-data>, accessed 25 July 2015.

スになる)とかは言わない。

言語は、文法と単語が広がる一面の平地ではない。その使用法には山もあれば谷もある。いくら知っているつもりでも、言語のあらゆる面を自在に使いこなせる人間などいない。私たちはみな、ある場所が、別の場所よりもわずかにくつろげるというだけなのだ。多国籍政治機関で使われる言語は、さらにかぎられる。言語は、使用域(レジスター)によって限定されている。つまり、農業や移民問題のような個々のテーマにあわせた言語になる。ジャンルによっても限定されている。つまり、演説をしたりとか、法令を制定したりとかいった、言語が使われる目的のことだ。あらゆるブルガリア語をフィンランド語にしなくてはならないのではなく、ブルガリア語の漁業についての声明を、フィンランド語の漁業についての声明にしなくてはならないのだと、翻訳者と通訳が知っておくのは大切だ。

使われるのは各言語のごく一部。これぞ、ほぼ瞬間的に訳さねばならない同時通訳にとって重要なことだ。通訳は予想されるテーマと議論のための使用域をあらかじめまとめておき、事前準備した訳文のかたまりをたくわえておく。法律用語の並列データベースに頼ることもできる。

国連の決議は、形式と語彙がはっきり決まっている(囲みを参照)。

> A United Nations resolution
>
> A/RES/59/35 Resolution adopted by the General As-

sembly on 2 December 2004 [on the report of the Sixth Committee (A/59/505)] 59/35.
Responsibility of States for internationally wrongful acts

The General Assembly,

Recalling its resolution 56/83 of 12 December 2001, the annex to which contains the text of the articles on responsibility of States for internationally wrongful acts,

Emphasizing the continuing importance of the codification and progressive development of international law, as referred to in Article 13, paragraph 1 (a), of the Charter of the United Nations,

Noting that the subject of responsibility of States for internationally wrongful acts is of major importance in relations between States,

1. Commends once again the articles on responsibility of States for internationally wrongful acts to the attention of Governments, without prejudice to the question of their future adoption or other appropriate action;

2. Requests the Secretary-General to invite Governments to submit their written comments on any future action regarding the articles;

3. Also request the Secretary-General to prepare an initial compilation of decisions of international courts, tribunals and other bodies referring to the

articles and to invite Governments to submit information on their practice in this regard, and further requests the Secretary-General to submit this material well in advance of its sixty-second session;

4. Decides to include in the provisional agenda of its sixty-second session the item entitled "Responsibility of States for internationally wrongful acts".
65th plenary meeting 2 December 2004

国際連合決議

A/RES/59/35　2004年12月2日、総会によって採択された決議［第6委員会の報告書（A/59/505）について］
59/35
国際違法行為に対する国家責任

総会は、

2001年12月の総会決議56/83、国際違法行為に対する国家責任についての条文草案をふくむその付属文書を想起し、

国連憲章第13条1項(a)に規定される成文化の重要性、及び、国際法の漸進的発展が続くことを強調し、

国際違法行為に対する国家責任の議題が国家間の関係において大きな重要性をもつことを喚起し、

1　将来的な採択、あるいは他の適切な行動の問題を害することなく、国際違法行為に対する国家責任についての条文への政府の配慮をいまいちど求め、

2　この条文に関する将来的な行動について、コメント

> の提出を政府に要請するよう事務総長に求め、
>
> 3　さらに、この条文に関連する国際裁判所、国際法廷、その他機関の判例の最初の集成および、この観点から履行に関する情報の提出を政府に要請するよう事務総長に求め、加えて第62回期に先がけて本資料の提出も事務総長に求め、
>
> 4　第62回期の暫定的アジェンダの中に、「国際違法行為に対する国家責任」と題する項目を含むことを決意する。
>
> 2004年12月2日　第65回本会議

前文では、決まった文法構造があり、以下のような目印ではじめなくてならない。acknowledging、affirming、alarmed、approving、aware、bearing in mind、being convinced、cognizant that、concerned by、deeply disturbed by、desiring、determined that、encouraged by、fully aware、guided by、having considered、mindful that、noting with approval、noting with regret、recalling、recognizing、regrettingなどなど。

ひとたびシーンがセットされれば、決議の「効力のある」部分がカットインしてくる。accepts、adopts、affirms、appeals、appreciates、decides、declares、deplores、emphasizes、encourages、notes、reaffirms、recognizes、recommends、regrets、approves、authorizes、calls upon、concurs、condemns、confirms、congratulates、considers、endorses、expresses its appreciation、expresses its conviction、expresses its regret、expresses its sympathy、expresses its thanks、expresses the hope、reiterates、suggests、supports、takes note of、urges、welcomesなどなどといった語だ。

こうした決まり文句のそれぞれは、ほかの国連公用語にも相当する使い古された言いまわしがある。多国籍政治機関の通訳と翻訳者は、機敏に言語のあいだを行ったり来たりしなくてはならない。しかし少なくとも、それをサポートする使用域とジャンルのしっかりした足掛かりはあるのだ[†69]。

グローバル・ニュースのハイウェイ

グローバル・ニュースにも公式ルートがある。ここでも、ジャンルと使用域の約束ごととがっちり結びついている標準語が優勢で、効率的かつ排外的な翻訳のしくみをつくっている。多くの新聞は自前の外国特派員を雇用している。ずっとあとで見ていくような、さまざまな流動的な、市民主導型の小道もある。しかし、国際報道の高速道路ネットワークは、3つの大通信社によって維持されている。ロイター、フランス通信社（AFP）、AP通信である。

通信社はそれぞれ、英国、フランス、アメリカが発祥である。19世紀から20世紀はじめにかけて電信網が整備されると、グローバルな射程を確立した。このときの事情をうけて、ニュースとして流通可能な言語が決定された。ロイターとAFPが使うの

[†69] Deborah Cao and Xingmin Zhao, 'Translation at the United Nations as Specialized Translation', *Journal of Specialised Translation* 9 (2008), 39–54, 48–51.

は英語、フランス語、スペイン語、ポルトガル語、アラビア語だ（最後のものは20世紀中盤に加わった）。AP通信も同じ組み合わせだが、ポルトガル語のかわりにオランダ語がはいっている。

大手のグローバル・ニュースがコミュニケーションに使う言語は、国際連合の審議に使われる言語とほぼ同数だ。そして、このふたつのルートの言語の組み合わせのうち、3分の2が重なりあう。しかし、翻訳の実情はかなり異なる。すでに見たように国連は、翻訳通訳の専門家のチームをかかえている。しかし、通信社では、特派員と編集者は自前で翻訳しなければならない。現場でのインタヴューからオフィスでの編集まで、国際的なニュースの記事（ストーリー）を組み立てるそれぞれの局面で翻訳は発生する。

たとえば、イスラエルとヒズボラの武力衝突をとりあげた2006年のロイターのストーリーは、イスラエルとレバノンのソースに依拠している。アラビア語やヘブライ語での話を、レポーターか仲介人が英訳をしたのだろう。あるいは、非母語としての英語でコミュニケーションをはかったのかもしれない。このストーリーは英語で書きあげられると、世界中を駆けめぐった。以下が最初の段落だ。

> Hizbollah fought fierce battles with Israeli troops on the Lebanese border on Thursday, as thousands more foreigners fled the nine-day-old war in Lebanon, including 1,000 Americans evacuated by U.S. Marines.
>
> 木曜日、レバノン国境でヒズボラがイスラエルの部隊と激しい

戦闘をくりひろげた。そのため、さらに数千人の外国人がレバノンのこの9日間戦争を脱出し、その中にはアメリカ海兵隊によって救出された1000人のアメリカ人もふくまれていた。

アメリカ人の脱出というストーリーは、元々の英語の読者層ほどには、ロイターのスペインオフィスではうけなかったようだ。スペインの編集者はスペイン語訳にさいして、パラグラフを書きなおし、かわりに別のディテールを入れた。国連事務総長のコフィー・アナンが、戦闘の停止を求めていたというものだ。スペイン語版は、文章の前半の力点も変えてしまった。今度は、ヒズボラがIsraeli troops（イスラエルの部隊）と戦ったのではなく「イスラエル」がヒズボラと激しい戦闘をおこなったとした（Israel mantuvo el jueves fuertes enfrentamientos militares con Hezbolá）。ヒズボラではなく、イスラエル国を侵略者とし、個々のイスラエル人ではなく、ヒズボラを攻撃されている側として提示している。この変更で、微妙に読者の共感のむきを変えている（英語版のtroopsという語は肯定的に聞こえるが、もしfightersのような語を使えばそうはならなかったろう）。

グローバル・ニュースの翻訳を支配しているのは、「ストーリー」という概念だ。このストーリーは、出来事のうち、ターゲットとなる読者層にアピールするようなイメージで組み立てられている。現場のジャーナリストはストーリーの素材を探している。翻訳と通訳は、この探求に不可欠な幇助者である。しかし、翻訳の難しさ、翻訳における改変は、その結果生まれる読者の温度差と

---

†70 Esperança Bielsa and Susan Bassnett, *Translation in Global News* (Abingdon: Routledge, 2009), 57, 108–10, 63.

同様、ストーリー探求の熱のなかで見過ごされがちだ[†70]。

それは編集でも同じことだ。はいってくるレポートのどれを、どう翻訳するのかを決定するのはストーリーだ。国連と同じく、ジャンルと使用域は、ここでも重要である。編集者はただ英語からスペイン語に訳すのではない。英語における政治対立の使用域とニュース報道のジャンルから、スペイン語の同じ使用域とジャンルに訳すのだ。しかし、国連の翻訳通訳者とはちがって、ロイター通信の編集者は、新しい言語の新しい読者にあわせて手元のテキストをつくり変える自由がある。このことを指してtranslationではなくtrans-editing(トランスエディティング)と言うこともある[†71]。

トランスエディティングがあばいてしまうイデオロギーのずれは、ある程度はほかの翻訳でも起こるが、ニュース翻訳でとりわけ鮮明になる。新たな出来事をある言語でレポートすることは、ひとつの世界観の枠にはめることだ。すなわち、ある視点や前提にあてはめることだ。グローバル・ニュースのハイウェイは、ただストーリーをある場所から別の場所に運んでいくだけではない。なにをニュースとしてあつかうかを決定し、それを見るアングルを決めるのだ。

[†71] Karen Stetting, 'Transediting: A New Term for Coping with the Grey Area between Editing and Translating', in Graham Caie, Kirsten Haastrup, Arnt Lykke Jakobsen, et al. (eds), *Proceedings from the Fourth Nordic Conference for English Studies* (Copenhagen: University of Copenhagen, 1989), 371–82.

機械、規則、統計

すでに見たように、翻訳とはある言語から別の言語に、というシンプルなものではない。それはつねに、ある言語の部分集合から別の言語の部分集合への動きなのだ。たんにフランス語から英語にうつすのではなく、フランス語でのファッションの会話から英語でのファッションの会話にうつすのだ。あらゆる会話が以前の会話の部分部分を並び替えたものなら、この言語の部分集合の中で、どんな語やフレーズがあらわれやすいかをあらかじめ想定することができる。国連の通訳がまさにそうだ。言語を使うということは驚くほど、先行する言語の使い方のまねなのだ。そして翻訳という行為には、すでにどこかで訳された内容の再翻訳がつきものなのだ。この知見は、コンピュータ翻訳にとって画期的だった。

翻訳するためのコンピュータができるかもしれないという希望が生まれたのは、この発見のかなり前にさかのぼる。初期のころは、一定の規則のもとで別の言語に変換できるような、言語の構文と語彙を分析するプログラムの開発が主におこなわれていた。結果は、意味はまずまずとれても、こなれた感じはまったくないというものだった。以下は、1970年代の機械翻訳の例だ（ロシア語から英語への翻訳）。

> A contemporary airport is the involved complex of engineer constructions and techniques, for arrangement of which the territory, measured sometimes is required by thousands of hectares (for example the Moscow Airport

Domodedovo, Kennedy's New York airport).

> 同時代の空港は、工学的構造と技術のその関わりのある複合体である。その設備のためには、ときどき測定される何千ヘクタールもによって土地が必要とされる(例えば、モスクワ空港ドモジェドヴォやケネディのニューヨーク空港)。

この英文を、人間の手で読みやすい英語に書きなおしたものが次になる。

> The modern airport is an elaborate complex of engineering structures and technical devices requiring a large territory, which, in some cases, measures thousands of hectares (for instance, Domodedovo Airport in Moscow or Kennedy Airport in New York).
>
> 現代の空港は、土木構造物や工学機器の複雑な複合施設であり、広大な敷地面積を必要とし、場合によっては、数千ヘクタールに達する(たとえば、モスクワのドモジェドヴォ空港やニューヨークのケネディ空港)。[†72]

世紀の変わり目に、一線を画するアプローチが普及した。その手法とは、いままで人間がしてきた膨大な翻訳のなかに、ソーステキストとぴったり合う文章があるのではないかという発想からきていた。それなら、コンピュータで一斉検索できる。カナダ議

[†72] ロシア語からの機械翻訳の例は以下からとった。F. Knowles, 'Error Analysis of Systran Output—a suggested criterion for the internal evaluation of translation quality and a possible corrective for system design', in Barbara M. Snell (ed.), *Translating and the Computer* (Amsterdam and Oxford: North-Holland, 1979), 109–33, 130. 以下の書籍に引用されている。David Crystal, *The Cambridge Encyclopedia of Language*, 2nd edn. (Cambridge: CUP, 1997), 352. 〔デイヴィッド・クリスタル『言語学百科事典』風間喜代三・長谷川欣佑監訳、佐久間淳一・滝浦真人・長谷川宏・林龍次郎・福井玲・町田健・椴山洋介訳、大修館書店、1992年、500頁より一部改変を施して引用。〕

会の英語とフランス語の議事録やダンテの対訳など、バイリンガル・コーパスが新たな意義をもつようになった。これらは、個別の語だけでなく、文章や言いまわしもふくむ巨大な多言語辞典のような役目をするデータベースに収録される。

この方法では、コンピュータは規則に基づいてある言語から別の言語に変換するわけではない。この方法は、あるフレーズ（やそれに類するもの）が、過去にどんな風に翻訳されてきたかをくまなく探す。それから、統計処理によって、選択肢のうちどれがコンテキストに一番うまくはまりそうかを決定する。先ほどの1970年代の例を見てみると、現代の統計プログラムには、measured sometimes is required by thousands of hectaresなんて思いつきそうもない。なぜなら、人間はこんなことばが並ぶ文章を書いてこなかったし、今後も絶対に書かないからだ。

テキストが多ければ多いほど、コンピュータの検索範囲も広くなる。すなわち、フランス語と英語のような、ありふれた言語の組み合わせの方が、ポルトガル語とタジク語のようなめったに見ない組み合わせよりも（参照すべき過去の翻訳もきわめて少ないだろう）、コンピュータにとってはずっと翻訳しやすいのだ。後者のケースでは、（国連のように）コンピュータは重訳をしたり、文法をベースにした方法と統計を併用したりする。やはり、珍しい言語の組み合わせで新しい翻訳手法をためしても、古い手法の露英翻訳よりも、よくならない（どころか悪くなる）可能性が高い。

そこまで珍しくもない中国語と英語の組み合わせですら、なかなか難しい。以下は、旅行サイト「トリップアドバイザー」のゲスト

レヴューを、先駆的な統計ベースのプログラム、グーグル翻訳が英語にしたものだ。

> In Lanzhou, Jinjiang position better than the Mandarin and Crowne Plaza. Just a little old facilities, services is not dominant. Breakfast overslept, no experience. The hotel's transportation is convenient, although near the noisy area, probably because of the high floors medial, still relatively quiet. The hotel's free Wi-Fi off, less effective.
>
> 蘭州では、ジンジャンはマンダリンやクラウン・プラザよりも地位が上だ。いくぶん古い施設、サービスは特によくない。朝食が寝過ごし、経験なし。ホテルの交通は便利だが、うるさい地区のそばにある。おそらく並に高い階だったせいで、まだ比較的静かだ。ホテルのフリーWi-Fiはオフで、効果的ではない。[†73]

おそらく、1970年代の「現代の空港」の説明よりも、すこしはわかりやすい英語になっているだろう。しかしそれよりも興味深いのは、2種類の翻訳のぎこちなさに差があることだ。例の1970年代の翻訳は未加工のままでは、まったくこなれた感じがしなかった。英語らしくするためには人間の手が要った。しかし、このグーグル翻訳はこなれた感じのつぎはぎだ。just a little、probably because of、still relatively quietなどなど。プログラムが人間のソースに依拠し、再利用していることがわかる。まだそういった言いまわしを完璧に縫いあわせるところまでいかないのだ。

---

†73 <http://www.tripadvisor.co.uk/Hotel_Review-g297409-d455433-Reviews-Jinjiang_Sunshine_Hotel-Lanzhou_Gansu.html>, accessed 25 July 2015.

統計的な翻訳アプローチと文法をベースにした翻訳アプローチの最大の差とは、統計ベースのプログラムは自分自身を改良できる点にある。グーグル翻訳でその都度翻訳を修正してやれば、プログラムはそのデータを活用する。Duolingo（デュオリンゴ）のような言語学習アプリでのエクササイズも、機械翻訳に提供される。実際、毎回、なにかの翻訳はデジタル化され、オンラインで利用可能になり、コンピュータにとりこまれて将来の選択の糧になる。

人知を超えたテクノロジーが進歩するスピードはすさまじい。テクノロジーは言語と人間の関係性を急速に変えつつある。以前は不可能だったコミュニケーションを可能にする。知っているつもりの言語が、へんてこに変換されてでてくる。breakfast overslept, no experienceという文はどうだろうか。なにを言おうとしているのかはわかる。でも、これもことばのひとつとして楽しんでもいい。これは、詩みたいなものなのだ。

メモリ、ローカリゼーション、サイボーグ

多国籍企業には翻訳が欠かせない。しかし、グーグル翻訳のようなプログラムにテキストを呑みこませる方式では、情報セキュリティ上の問題が生じてしまう。そこで、多国籍企業は通例、同種のソフトウェアを用いるが、ドキュメントは非公開のままにしておく。「翻訳メモリ」も使う。これは比較的小さなコーパスで、特定のテキスト（あるいは長文のテキストの部分部分）がどう訳されてきたかをしめしたうえで、これからどう訳したらいいか提案する。そして重要な語句がつねに同じ訳になるように、専門用語のデ

ータベースも管理する。

多国籍企業が翻訳を必要とする理由のひとつは、消費者はなじみがありそうな場所で買うことを好むからだ。ローカリゼーションは、自社のウェブ・プレゼンスがどこで操作しても違和感のないようにする手法だ。ローカリゼーションには、言語を翻訳するだけではなく、ウェブサイトのデザインや機能性の問題もふくまれる。書字方向は左から右なのか、右から左なのか、上から下なのか。日付はどう表記するのか。非アルファベット言語では項目はどうやって並べるのか。仕様全体はどう見えて、どう感じられるのか。この種の総合的なローカリゼーションがなぜ必要なのかといえば、言語が行動習慣や非言語コミュニケーションと地続きだからだ。

もちろん、もうひとつの要因は、別々の言語を話す従業員同士がコミュニケーションできるようにだ。それぞれの翻訳のモードは、多様な要求に対応する。ウェブサイトのローカリゼーションの初期段階には、人間がもつ専門知識の相当量を収めたほうがよさそうだ。しかしひとたび立ち上げられれば、機械翻訳は、ウェブフォームやライブチャットによるテクニカルサポートのようなコミュニケーション・チャネルをあつかえるようになるだろう。おそらく言語はシンプルになり、トピックは予測可能なものになる[†74]。

とはいえ会社の書類を訳すのは、人間が、「翻訳メモリ」やおそ

[†74] 多国籍企業のニーズについての情報は以下からえた。<http://www.sdl.com/about>, accessed 23 July 2015.

らくほかのコンピュータ化されたリソースとの共同作業でおこなう可能性が高い。これぞサイボーグ翻訳者——つまり、人間でもあり、機械でもある翻訳者だ。今日では、職業翻訳者は、ほぼいつもそんな風に作業している。だれでもそうできるのだ。外国語のテキストをただグーグル翻訳にほうりこんで、breakfast overslept, no experience（朝食が寝過ごした、経験なし）みたいな半英語訳を受けとり、その意味を I overslept so cannot comment on the breakfast（寝過ごしてしまったので、朝食についてなにも言えない）だと察して翻訳を完成させるだけだ。私たちはみな、サイボーグ翻訳者になりつつある。

クラウド翻訳、非正規流通（ブートレッグ・トレイル）、グローカル言語

もちろん、インターネットは人間をただ機械につなぐだけではない。人間を別の人間にもつなぐのだ。つまり、人間の翻訳者が仮想空間にあつまって共同プロジェクトをすすめることも可能になる。商業翻訳サービスのなかには、こんな風におこなわれているものもある。しかし、クラウド翻訳がもっとおもしろくなるのは、ボランティアが参加するケースだ。必要な言語スキルをもっていれば誰でも、ウィキペディアを1ページずつ翻訳したり、セカンドライフのヴァーチャル・リアリティ環境のローカリゼーションに貢献できる。

一般市民からなる翻訳者の集団（クラウズ）は信念のもとに無給で活動し、国際通信社の公式ルートをこえたところで情報を流通させる。グローバル・ヴォイスはそんなウェブサイトのひとつである。同サイトは、800名を超すライターと翻訳者を集め（大半がボランティア）、

埋もれてしまいそうな記事を掘りおこしては、30もの言語に翻訳している[†75]。グローバル・ヴォイスはハーヴァード大学が発祥だが、ほかの市民翻訳はもっと最前線でも使われている。Mosireenは2011年のエジプト革命の出来事を映像で記録し、公にした共同体だ。その後の弾圧も記録しつづけている。ボランティアに動画の字幕をまかせている[†76]。

こんな具合に、クラウド翻訳は、非公式な「ブートレッグ・トレイル」をつくりだし、手にはいらなかった情報にアクセスできるようにする。翻訳が難しいものだという認識や、それを克服する方法も広まっている。ウィキペディアはこの手の翻訳を次のように説明している。必要に応じて編集しろ。新しい読者がわからなさそうな用語は説明しろ。標準的な百科事典の書式を使え[†77]。TEDはさまざまなアイデアを説明するプレゼンテーション動画の宝庫だが、ボランティアに字幕のつけかたも指南している。明瞭なことばを使え。1秒あたりの表示を21字以下にしろ。改行は意味のまとまりで。クラウド上の共同作業者には丁重に接しろ……などなど[†78]。多くの人が参加すればするほど、翻訳はより意識的かつ目に見える方法になっていく。

これは、わくわくするような展開を生んでいる。日本のマンガ・アニメーションにはファンが大勢いる。ファンの一部は映像をなかば非合法に入手し、多くの人の目に触れるように英語字幕をつ

[†75] Global Voices: <http://globalvoicesonline.org/about/>, accessed 15 July 2015.
[†76] Mosireen: <http://mosireen.org/>, accessed 15 July 2015.
[†77] ウィキペディアの翻訳のインストラクションは以下に掲載されている。<https://en.wikipedia.org/wiki/Wikipedia:WikiProject_Echo>, accessed 28 July 2015.
[†78] TEDの字幕つけのインストラクションは以下にある。<https://www.ted.com/participate/translate/guidelines>, accessed 28 July 2015.

けるのだ。「ファンサブ」と呼ばれる行為だ。作品を愛するがゆえ、アマチュアならではの身軽さで、ファンサバーは正式な字幕翻訳者には思いもよらない訳出法を開発可能だ——残念ながら、著作権が怪しいため、ここでは引用不能だが。あるマンガの1コマでは、日本語の文字でびっしり埋めつくされた黒板の前に教師が立っている。英訳も、黒板の文字に対応するように縦に並べられる。別のケースでは、メインの字幕が拾えなかったちょっとした言葉あそびがスクリーン上辺に小さな文字で表示される。双方の技法とも、原作へのひとかたならぬ思い入れを拠りどころにしている。愛着はときに作品を共有しているという感覚も生む。ファンサバーは、フレームの通常は字幕を入れない部分にまで足を踏み入れて、自分の感想を動画そのものに書きこむこともある。

こうした革新的な実践が出てきたのは、マンガのファンサバーが同じ目的と前提を共有するコミュニティに集っているからだ。ファンサバーは世界中にいるのだろうが、他方で、ローカリティと自主独立の気風を重んじている感がある。ファンサバーは自分たちが大切にしているものを表現するため、通常の翻訳手法にしばられる必要はないと感じている。

「エジプト革命の女性たちのことば」[†79]は、Mosireenのようなメディア活動家のグループのひとつだ。ファンサバーにも似て、自分たちの信念に見合う翻訳を採用している。ビデオにスペイン

[†79]「エジプト革命の女性たちのことば」は以下になる。https://www.facebook.com/HerstoryEgypt. 以下のモナ・ベイカーによる議論も参照のこと。<http://www.monabaker.org/?p=1567>, accessed 26 September 2015.

語字幕がつくと、どうしても性差が強調されてしまうのが普通だ。たとえばfriendは、女性形のamigaか男性形のamigoにしなければならない。しかし、これはその女性たちが話すエジプト・アラビア語とも、彼女たちが提示したいジェンダー・アイデンティティとも食いちがう。ゆえに字幕翻訳者はスペインのフェミニストの方法を借りて、先入観をあたえる語末のaとoを中立的なxに置きかえる。

「アラブの春」のエネルギーと、定着した訳語のあいだに生まれた摩擦を、翻訳者が浮かびあがらせるような例はまだある。2015年にカイロで開催された会議で大きくとりあげられたのは、「アラブの春」のキーワードになったことばには、英語でぴったりした語がないことだった。それはつまり、活動家たちが目指していたのは、西洋的なニュアンスのdemocracyとは似てはいるが別のかたちの市民社会だということだ[†80]。しかし、ファンサブと「女性たちのことば」がともにしめすのは、インターネットの力である。人々をヴァーチャルなローカリティに結集させ、翻訳をふくむ独自のことばの使い方を広めていける。この手の「ローカル」なコミュニティは万人の手の届く場所にあるので、グローバルな反響がある。彼らはたんにローカルなわけではない。「グローカル」なのだ。

グローカル翻訳は、この章のはじまりで触れた公式ルートとは対照をなす。標準的な国家語ではなく、コミュニティに根づいた、

[†80] アフメド・レファートによるモナ・ベイカー、ヤスミン・エル・リファエ、マダ・マスルが主催したカイロ会議の説明は以下のサイトにある。<http://www.monabaker.org/?p=1129>, accessed 30 June 2016.

マイノリティの、方言のことば。効率的なコミュニケーションとしての翻訳ではなく、意味をつむぐひとりひとりの役割と、言語のちがいに光をあて、楽しむ翻訳。

新しいウェブサイト、Transferreがたまたま目にとまった。方言と小言語のあいだの翻訳にとりくんでいるサイトだ。ウェールズ語で書かれた詩とそのガリシア語の翻訳が、朗読と文字の両方で掲載されている。英訳も添えられている。

> Cerddoriaeth gynta ein gwlad
> oedd pitran y glaw yn y coed
>
> A primeira música do noso país
> foi o repenique da choiva no bosque
>
> The first music of our country
> was the pitter-patter of rain in the woods.
>
> わが国の最初の音楽は
> 樹々に落ちる雨のパラパラだった。[†81]

ウェールズ語か、ガリシア語かもわからないが、それでも双方の言語でことばが意味するものをつなぎ合わせることはできる。このことばの音楽の、にわか雨を楽しむことができる。

[†81] Ifor ap Glyn, 'glaw', lines 1–2, translated by David Miranda-Barreiro and Philip R. Davies, *Transferre*: <https://valentinagosetti.wordpress.com/2015/06/23/welsh-poetry-into-galician-ifor-ap-glyn-translatedby-david-miranda-barreiro-and-philip-r-davies/>, accessed 4 July 2015.

vii
翻訳的文学

国民文学

「文学」という語は場所で特定されやすい。世界各地の地域名をくっつけることができる。「アフリカ文学」「南アメリカ文学」。あるいは言語名も。「アラビア語文学」「ラテン語文学」。その大部分が、国民国家、とくにヨーロッパの国々にくっついている。「フランス文学」「イタリア文学」「ロシア文学」。ひどくややこしい例がEnglish literature（英文学）だ。大学でよくある「英文学」コースは、アイルランド、スコットランド、ウェールズ、米国、インド、アフリカ、オーストラリア、そのほかの地域の英語の文章をとりあげるようになるだろう。しかし、こうした多様な文学すべてが、グレートブリテン及び北部アイルランド連合王国のなかのイングランドという国の文化と結びつくものとして提示されもするだろう。

フィクションの地勢図にしたがえば、詩や本や戯曲はおしなべて、文学の範疇にふくまれる。普通、ある文学は、「ひとつの文化」（しばしば国民文化）をあらわす「ひとつの言語」と結びつく。翻訳についての議論は、この考え方と切り離せない。それにしたがえば、文芸翻訳家の使命は、ひとつの文学―言語―文化に属すテキストをとりあげて、別の言語で再創造することになる。文学のナショナリティをこんな風に強調すれば、私が「厳密に定義された翻訳」と呼んでいる見方をはぐくむことになる。

しかし、この文学の概念は全体のしくみの一部にすぎず、歴史的、地理的な偶然の産物だ。18世紀のヨーロッパで、書籍や特に新聞の国家内での流通が、単一の国民文化の共有を人々に意識させるようになって固まりだしたものだ。ボルドーに住んでいる人間なら、パリの人間とも同じ記事を読み、同じ「想像の共同体」に属していると感じるだろう[†82]。英国の出版社は、『ムアの英国古典集』や『英国名詩選』のようなタイトルのアンソロジーを編んでいる。ドイツの知識人は文化に国民性が反映するという思想を突き詰めていた。ヨハン・ゴットフリート・ヘルダーは、異なる文学は異なる民族精神（Volksgeist）のあらわれだと考えていた[†83]。

19世紀をつうじて、リベラルな愛国主義者が、専制君主に対抗するための拠りどころにしたのがこうした考えだった。現在のイタリア国家は、当時はオーストリア＝ハンガリー二重帝国と、無数の小王国、小公国に分割されていた。しかし、ジュゼッペ・マッツィーニを中心とするグループは、イタリアが統一され、独立する運命にあるという信念をもっていた。その理由は、経済や地理というよりは文学にあった。マッツィーニのスコットランド人の友人、トマス・カーライルはこう述べた——

> 気の毒にイタリアは解体して、ちりぢりばらとなり、議定書や条約の何を見ても絶対に統一体とは思われない。しかしあの高

[†82] Benedict Anderson, *Imagined Communities: Reflections on the Origin and Spread of Nationalism* (London: Verso, 1983).〔ベネディクト・アンダーソン『定本 想像の共同体——ナショナリズムの起源と流行』白石隆・白石さや訳、書籍工房早山、2007年。〕

[†83] Johann Gottfried Herder, *Briefe zu Beförderung der Humanität*, 1797, in his *Sämmtliche Werke*, 33 vols. ed. Bernhard Suphan et al. (Berlin: Weidmann, 1883), xviii, 134-40.

潔なイタリアは事実一つなのだ。それは、イタリアはイタリア独特のダンテを生み出し、イタリアは物が言えるからだ！」[†84]

以降も、国家を形成する力として文学が使われるケースは、世界中のいたるところで見うけられる。1930年代の上海では、趙家璧という出版者が『中国新文学大系』の編纂に着手した。左翼的なイメージの国家像を普及させようとしたのだ。日本をつうじて西洋的な文学の役割に触れた趙は、そうした手段を講じたのだった[†85]。大英帝国期のインドでは、公職に就くためには、英国文学の試験を受けなければならなかった。ヴィクトリア朝時代、この制度を設計したマコーレー卿は、こう述べている。「英国の文学が広まるところはどこであれ、英国の美質と自由にあずかるだろう！」[†86]。英国本土でも、学校や大学で開講された英文学の授業は、国家精神の涵養を目的につくられていた。

こうしたいくつかの例は、文学は翻訳不可能だという考え方を後押しする。独立した、唯一の国家―言語に所属することが文学テキストの必要条件なら、翻訳者には「厳密に定義された翻訳」の要求をどうしても満たせないことになる。翻訳者はけっして別の言語―国家を媒介にしてテキストを再創造できない。(すでに見たような)さまざまな局面で「翻訳」として通っている実用重

[†84] Thomas Carlyle, *On Heroes, Hero-Worship and the Heroic in History* (1840; London: Chapman and Hall, 1897), 114.〔トマス・カーライル『カーライル選集2 英雄と英雄崇拝』入江勇起男訳、日本教文社、2014年、164–165頁。〕以下の書籍も参照のこと。Matthew Reynolds, *The Realms of Verse, 1830–1870: English Poetry in a Time of Nation-Building* (Oxford: OUP, 2001), 17.
[†85] Lydia H. Liu, *Translingual Practice: Literature, National Culture and Translated Modernity: China, 1900–1937* (Stanford, CA: Stanford University Press, 1995), 214–17.
[†86] マコーレーは以下の書籍に引用されている。Chris Baldick, *The Social Mission of English Criticism, 1848–1932* (Oxford: Clarendon Press, 1987), 70.

視のことばの代替物では、文学には不十分だ。言語にとって重要なのは(その流れで普通に考えると)、ある特定の言語と文化に深く埋めこまれているという性質なのだ。聞き覚えのある嘆き節が聞こえてくる。原典(オリジナル)に匹敵する翻訳なんてどこにもない！ 詩は翻訳で失われてしまう！

しかし、フィクションのグローバルな地勢図を描きだす方法が別にあるとすればどうだろうか？ 文学が唯一の言語や国民文化に根ざすものだという概念も、西洋で生まれ、19世紀から20世紀に主流になったひとつの考え方にすぎないとすればどうだろうか？

多言語創作

サミュエル・ベケットは英語とフランス語の双方で文学作品を執筆し、それぞれに作品を翻訳した。ウラジーミル・ナボコフはロシア語とアメリカ英語の双方で書き、それぞれに作品を翻訳した。ジョセフ・コンラッドはポーランド語が第1言語、フランス語が第2言語だったが、小説は英語で書いた。その英語はポーランド語とフランス語によって深みをまし、ひねりも効いたものになった。ナボコフのアメリカ英語にロシア語のエネルギーが吹きこまれていたことや、ベケットの2言語が互いに刺激しあったことにも似ている。

ライナー・マリア・リルケはドイツ語だけでなくフランス語でも詩を書いた。実際、フランス語は他国の(と思われている)文学作品にもたびたび登場する。レフ・トルストイの偉大なロシア小説『戦争と平和』にはフランス語の長いパッセージがいくつもあり、ロ

シア語自体もフランス語的だ。シャーロット・ブロンテの英語長編『ヴィレット』にはフランス語がかなり使われているし、ロレンス・スターンの『トリストラム・シャンディ』もそうだ (いくらかのラテン語とともに)。アイルランドの劇作家オスカー・ワイルドの戯曲は基本的に英語で書かれている。だが、一作だけフランス語で書かれている。『サロメ』だ。ウィリアム・ベックフォードは英語作家だが、長編『ヴァセック』はフランス語だ。ジーン・リースの小説はパリに舞台が置かれ、英語とフランス語が対立させられる。

T・S・エリオットも時折フランス語で書いた。その『荒地』は、ドイツ語、イタリア語、ラテン語や、サンスクリット語の翻字が詩のなかにまじっている。エズラ・パウンドの『詩篇(キャントーズ)』には、複数のヨーロッパ語のみならず中国語も使われている。ジェイムズ・ジョイスの『フィネガンズ・ウェイク』の摩訶不思議な言いまわしは、無数の言語を混ぜあわせたものだ。この手の作品はモダニズムにはよくあるが、多言語創作はヨーロッパではあたりまえのことだった。ダンテ・アリギエーリはイタリア語だけでなく、ラテン語でもたくさん文章を書き、プロヴァンス語でもちょっと書いた。テオフィロ・フォレンゴは16世紀に、ラテン語とイタリア語方言を混ぜあわせる「雅俗混交体」を用いた。1世紀後に、ジョン・ミルトンは英語だけでなく、ギリシャ語、ラテン語、イタリア語で詩を書いた。多言語創作は今日では盛んで、たとえば多和田葉子 (ドイツ語、日本語) や、イザベル・デル・リオ (スペイン語、英語) が書くものがそうだ。

こうした例 (ほかにも多々ある) を見ていくと、「モノリンガルなヨーロッパの国民文学に対し、インド、アフリカ、東アジアには想像力

豊かな多言語文化がある」という時折なされる指摘も疑問に思えてくる。もちろん、あちらの文化が多層的なものだと理解するのは大切だ。上流層の人物しかサンスクリット語を話さず、身分の低い人物は別の言語、プラークリット語を使うサンスクリット劇のような形式もあれば、インドの詩人A・K・ラマヌジャンのような経験をするものもいる。

> 幼いころは、マドラスのタミル語で母(アンマ)に話しかけ、料理を作ってくれるアイアンガーの女中にはマイソールのタミル語に切り替えていた。家の外では友人とカンナダ語でしゃべっていた。2階の仕事場では、父(アッパ)が英語でやりとりしていた。[†87]

ナイジェリアの小説家チヌア・アチェベを読むのなら、その作品がマルチリンガルなコンテキストにどう接続しているかを知っておいた方がいい。アチェベはナイジェリアをつなぐ言語として、世界中の読者にも届くよう英語で創作することを選んだ。しかし同時に、自分の部族の言語であるイボ語で大英帝国の言いまわしを脱臼させている。

しかし、あちらに多言語文化があり、こちらにヨーロッパの国民文学があるという図式は単純化しすぎている。上にあげたような例が物語るのは、ヨーロッパの文芸文化もマルチリンガルだということだ。

ヨーロッパの作家の多くが、創作言語として唯一の言語に専心

[†87] ラマヌジャンは以下に引用されている。Naita Gokhale, 'Negotiating Multilingual Literary Spaces': <http://www.india-seminar.com/2009/600/600_namita_gokhale.htm>, accessed 12 September 2015.

することを選んだのもたしかだ。しかし、その場合でも、他言語の影響や痕跡があることは珍しくない。ロバート・ブラウニングの詩には時折ギリシャ語が散りばめられており(『アリストファネスの弁明』のように)、少しイタリア語風に聞こえるようにつくられている。マルセル・プルーストは、非常に凝った文体を、ジョン・ラスキンの英文を長年にわたって分析することで生みだした。

そして、ひとつの言語でしか執筆しない作家でも、翻訳をすることもある。チョーサーはイタリア語、フランス語、ラテン語から翻訳した。アレクサンダー・ポープはホメロスを英訳した。H.D.(ヒルダ・ドゥリトル)は、エウリピデスを英訳した。チェーザレ・パヴェーゼは(近代イタリア文学者の多くがそうしたように)、イギリス文学とアメリカ文学を大量にイタリア語訳した。日本の小説家村上春樹とアメリカの小説家リディア・デイヴィスはどちらも翻訳家としても著名だ。

形式と影響は言語を超える。バイロンは、イタリアのコミカルな恋愛詩の形式を採りいれた。プーシキンは、アメデ・ピショーとエウゼベ・ド・サレーによるバイロンの仏訳から詩を学んだ。エリザベス・バレット・ブラウニングは、アイスキュロス、ダンテ、スタール夫人、ジョルジュ・サンドを参考にしていた。ヘンリー・ジェイムズは、ナサニエル・ホーソーンやジョージ・エリオットのような英語作家の先達同様に、フローベールやツルゲーネフにも強い影響を受けた(後者は仏訳や独訳、英訳で読んでいた)。ゲーテは、ヨーゼフ・フォン・ハンマーが独訳したハーフェズのペルシャ語詩に刺激を受けた。シェイクスピアは、ラテン語、ギリシャ語、イタリア語、フランス語の文学作品を参照していた(翻訳と、場合によっ

ては原文で)。シェイクスピアは、当時翻訳によってとみに栄えていた言語から自分の文体を育てた。to castigate thy pride（あんたの高慢を罰する）[†88]や Jove multipotent（万能の神ジュピター）[†89]のような句は、翻訳的なエネルギーのしるしをたたえている（castigate や multipotent はラテン語の castigare や multipotens から来ている）。ごちゃごちゃになった二言語辞典から抜き書きしたみたいだ。

生涯の大半を国民文学の発展にささげる作家でさえも、ほかの可能性を意識せずにはいられない。ワーズワースは一例だ。周りの詩人がラテン語に近い言葉づかいで書くなかで、ちがう道をえらんだのだ。ひとつの言語で書くということは、その中の多様性を明るみにだすということでもある。ディケンズがまさにそうで、イディオムとスラングを聞きわけるすばらしい耳をもっていた。オリヴァー・トゥイスト（一例にすぎないが）は、あたかも外国語かのように、「逃げの名人」の貧困地区の訛りを翻訳する術を学ばねばならない。

つまり、西洋文学も多言語（マルチリンガル）だ、昔からずっと。これが、翻訳にとってどう大事なのか？

トランスラテラチャー

第2章でも見たように、言語は別々の、独立した存在ではない。

[†88] William Shakespeare, *Timon of Athens*, IV. iii. 241.〔ウィリアム・シェイクスピア『シェイクスピア全集 アテネのタイモン』小田島雄志訳、白水Uブックス、1983年、126頁より一部改変を施して引用。〕

[†89] William Shakespeare, *Troilus and Cressida*, IV. vii. 13.〔シェイクスピア『トロイラスとクレシダ シェイクスピア全集23』松岡和子訳、ちくま文庫、2012年、191頁。〕

ある言語とある言語の関係はつねに複雑だ。差異と、重なり合いと、「偽の友人」のごたまぜだ。そして言語はそれ自体、いくつもの方言や、使用域、言いまわしによって内側からも分断されている。

つまり、(第3章と第4章で見たように)翻訳はソーステキストと同一のものを生みだそうという試みではない(もちろんその失敗でもない)。ソーステキストの意味と文字は、ただそこにあってつかまえればいいというものではない。読みながら、思い描き、一緒につくらなくてはならない。訳そうと思うのなら、別のコンテキストで、別の材料から、新しいテキストをつくらなくてはならない。できたテキストをソーステキストのかわりにしたくても、その別の環境でしか通用しない。似たような仕事をさせるのか、似たような効果を出したいのか。しかし、きみがなにを書こうが、ひとたび読者の手にわたれば、思い思いに解釈されてしまうのは言うまでもない。

ことばが使われるさまざまな局面で、創作、翻訳、通訳の規範は厳密にさだめられている。いままで見てきたものには報道や国連決議もあった。しかし、文学は言語と想像力が舞い踊るアリーナだ。フィクションはなんでもありだ。詩形はことばをまとめて新しいかたちで押しだす。文芸書のページには、どんなことばを組みあわせて載せたっていい。ゆるい意味での翻訳は(私の言葉で言えば「翻訳性」)、文芸創作には欠かせない。ことばは新しいコンテキストに持ちこまれる。概念は思いもよらぬ表現で言いかえられる。翻訳は言語を越えて、このプロセスに加わる。別の言語から刺激を受ければ、物事の見方も、語り方もがらりと変わる。異なる文化は新しい語りの可能性と、別の存在のあり

方を教えてくれる。

創作に本来備わっている翻訳性は、またとない困難も生みだすが、文芸翻訳者にまたとない機会をくれるものでもある。例をあげてみよう。アレクサンダー・ポープの『髪の掠奪』は、1712年から1717年のあいだに、内容を追加していくかたちで、一連の版が刊行された。これは、上流階級のスキャンダルの内実を語るものだった。名無しの男爵が、当代きっての美女ベリンダの麗しい髪を一房はさみで切りとる。物語は疑似英雄詩の形式で語られる。つまり、社交界のコップの中の嵐をからかうために、抒情詩の言語を使うのだ。語られるエピソードと言いまわしは、ホメロスの『イリアス』(数年後、ポープ自身が英訳することになる)とウェルギリウスの『アエネーイス』(20年あまり前、ジョン・ドライデンによる名訳が刊行されていた)から翻訳的なかたちで紙上に持ちこまれている。

ある場面で、男爵は髪の毛を切りとり、手元においておけるよう、神に祈りを捧げる。

> The Pow'rd gave Ear, and granted half his Pray'r,
> The rest, the winds dispers'd in empty Air.
>
> 神々耳を傾むけて、祈りの半ばを聞きとどく、
> あとの残りは風に乗り、虚空に散りてかき消ゆる。[†90]

[†90] Alexander Pope, *The Rape of the Lock*, 2. 45-46, tr. as *Il Riccio Rapito* by Viola Papetti (Milan: Rizzoli, 1984), 64.〔アレグザンダー・ポープ『髪の掠奪——英雄滑稽詩』岩崎泰男訳、同志社大学出版部、1973年、15頁。〕

ポープの詩行は『アエネーイス』の有名なエピソードを反復したものだ。アエネーアスの仲間のひとり、アルンスはウォルスキの戦士カミラを打ち負かし、無事に帰宅できることを祈る。ドライデンはこの瞬間を以下のように訳している。

> *Apollo* heard, and granting half his Pray'r
> Shuffled in Winds the rest, and toss'd in empty Air.[†91]

目ざとい読者なら気づくように、ポープはドライデンに多くを負っている。しかし、ポープは英語をウェルギリウスのラテン語に近づけるよう、変更もおこなっている。

> Audiit et voti Phoebus succedere partem
> Mente dedit, partem volucris dispersit in auras.
>
> ポエブスはこれを聞くと、祈願の半分が成就することは
> 喜んで許したが、半分は吹き去る風の中へまき散らした。[†92]

ドライデンは、shuffledやtoss'dといった古英語に由来する力強い語を用いて、ウェルギリウスとのちがいを際だたせる方を選んだ。しかし、ポープのdispers'd in ... airという一節は、ラテン語のdispersit in auras(吹き去る風の中へまき散らした)という言いまわしとうまく溶けあっている。

ポープの詩は、翻訳とまさに抜き差しならぬ関係にある。あたか

[†91] John Dryden, *The Aeneis of Vergil*, 11. 794-5.
[†92] Virgil, *Aeneid*, 11. 794-5.〔ウェルギリウス『アエネーイス』岡道男・高橋宏幸訳、京都大学学術出版会、2001年、547頁。〕

も、こう言っているかのようだ——「ウェルギリウスのあの悲劇的な瞬間に、こんなにも近づいているぞ！（ドライデンのものよりも近い！）」。同時に、『アエネーイス』と比べると男爵の祈りはまったくどうでもいいものに見えてくる。この詩の翻訳性は、複雑な、特有のニュアンスを生んでいる。こうした例を見ると、「厳密に定義された翻訳」モデルを文芸翻訳に適用するのは絶望的なように思える。

しかし、この詩行の翻訳性は別の可能性も生みだしている。ヴィオラ・パペッティが最近訳したポープのイタリア語版を見てみよう。

> i numi ascoltarono, e per metà esaudirono la prece,
> il resto, i venti lo dispersero per l'aere vuoto.

ポープのことばがラテン語に近いということは、イタリア語にも近いということだ。上記のイタリア語のdispersero per l'aereは意味だけでなく、音の上でもdispersed in ... airと重なりあい、元詩とウェルギリウスとの関係を再現している。もちろん、ドライデンの英訳とのコントラストは、感じることができなくなってしまっている。それは、18世紀初頭の英国という、ポープの位置が生みだしたものだからだ。しかし、別の文学的関係性が、その場所に浮上している。per l'aereという句に形容詞を加えたものは、ダンテの『神曲』で頻繁に使われていた。per l'aere nero、per l'aere perso、per l'aere malignoなどなど（「黒い空気を通して」「暗い空気を通して」「悪い空気を通して」）。ダンテもまさにドライデンのように、ウェルギリウスの影響を強く受けた詩人だった。

ゆえに翻訳という行為には、失われるものと同様、得られるものもあることになる。失われるものは脚韻や韻律だけではない。ポープの詩の、ある種の表現上の三角形もそうだ。しかし、別の三角形がもたらされた。それとともに、ポープの執筆環境への認識も新たになる——その多言語的なポスト叙事詩の伝統文化が、いかに懐が深いのか。イタリア語訳は、ポープを刺激したウェルギリウスのある部分が、ダンテにとっても重要だったということを教えてくれる。お互いの作品を読みもしなかった、全然別の詩人同士の予期せぬ類似をあばいているのだ。

20世紀初期に活躍したドイツの知識人ヴァルター・ベンヤミンの有名なエッセイに、「翻訳者の使命」がある。このエッセイが興味深いのは、ベンヤミンが翻訳を語る語彙が示唆に富んでいるからだ。正確さや等価といったありふれた話のかわりに、ベンヤミンは、Überleben(存える生)、Entfaltung(発展)、Nachreife(後熟)といったことばで翻訳を語る[93]。こうした語彙が伝えるものとは、文学テキストが、本のページやパソコンのスクリーン上に表示されたたんなる文字ではなく、潜在的な想像力の源泉だということだ。それは読まれ、反応され、解釈され、翻訳されるたびに広がっていくものなのだ。

パペッティによる『髪の掠奪』のイタリア語訳は、ベンヤミンのイメージのちょっとしたサンプルだ。これは格別にすぐれた翻訳というわけではない。私たちが見た詩行では、翻訳者個人の手腕

---

[93] Walter Benjamin, *Illuminationen. Ausgewählte Schriften*, vol. 1 (Frankfurt am Main: Suhrkamp, 1977), 50-9.〔ヴァルター・ベンヤミン「翻訳者の使命」内村博信訳『ベンヤミン・コレクション 2 エッセイの思想』浅井健二郎編訳、三宅晶子・久保哲司・内村博信・西村龍一訳、ちくま学芸文庫、1996年、391、393、395頁。〕

というよりは、言語の重なり合いが、作品が熟していく効果を生みだしていた。真にすぐれた翻訳では、言語にそなわるエネルギーが、訳者の資質に反応して、またとない表現形式を生む。私はこれを「翻訳の詩学」と呼んでいる。

ひとつ例をあげれば、エズラ・パウンドによる古代中国詩の翻訳集『中国(キャセイ)』がそうだ。第1章で見たように、パウンドは漢字にならって英語を組み立て、抑制された感情をうかがわせる文体を生みだした。詩集『中国』の最初の注が説明するのは、書き手の想像力が「1915年、ロンドン」という出版の時と場所にたどりつくためにさっと超えなければならなかった距離だ——「この作品の大部分は、李白の中国語と、故アーネスト・フェノロサ氏によるその覚え書き、そして森〔槐南〕、有賀〔長雄〕、両教授による注釈から生まれた」。

『中国』の冒頭の詩「周の射手のうた」を見てみよう‡12。古代中国と大戦下の英国という場所の組み合わせから、ことばが立ちあがってくることに読者は気づく。

> Here we are, picking the first fern-shoots
> And saying: 'When shall we get back to our country?'
> Here we are because we have the Ken-in for our foemen,
> We have no comfort because of these Mongols.

われらこの地にて、蕨(わらび)の新芽を摘みながら

---

‡12　紀元前11世紀、文王の作とされる。
†94　Ezra Pound, 'Song of the Bowmen of Shu', 1-4. 以下の書籍から引用した。*Collected Shorter Poems* (London: Faber and Faber, 1968).〔エズラ・パウンド「詩集〈中国(キャセイ)〉全篇」原成吉訳『パウンド詩集』城戸朱理編訳、思潮社、1998年、32頁。〕

国に想いを馳せる。帰るのはいつのことか？
われらこの地にて、厳允(けんいん)を防ぐのが務め。
モンゴル人の侵入にこころ休まるときがない。†94

詩のことばが指しているのは、英語読者にはほとんど意味がわからない Ken-in（厳允(けんいん)）がらみの古代のいさかいだけではない。第一次世界大戦の西部戦線のことも暗示しているのだ。詩の想像力の源泉は、現代の戦争と、遠く離れた、遥か昔の戦いとを結びつけることにある。このつながりを成り立たせているのが翻訳なのだ。

この「翻訳の詩学」は、さまざまな空想や連想を呼びさます。ルクレティウス「愛の本性について」のドライデンによる英訳のように欲望も、カトゥルスの哀歌101番を英訳したアン・カーソンの『ノックス』のように喪失も、エドワード・フィッツジェラルドの『オマル・ハイヤームのルバイヤート』のように変容のヴァリエーションも探りだすことができる。翻訳の詩学は言語、時間、場所、人々を重ね合わせ、その同質性と異質性を浮き彫りにする。

散文も、翻訳の中で輝くことができる。W・G・ゼーバルトはイースト・アングリアに住んでいたが、ドイツ語で書いていた。フィクションと自伝がないまぜになったゼーバルトの作品は、移住や記憶、喪失をめぐるものだ。マイケル・ハルスとアンシア・ベルによる英訳はまさに傑作だ。理由のひとつは、訳文から感じるわずかに脱臼したような感覚と、ゼーバルトが追い求めたテーマが生んだハーモニーにあるにちがいない。以下が『アウステルリッツ』冒頭の、ベルによる英訳である。

> In the second half of the 1960s I travelled repeatedly from England to Belgium, partly for study purposes, partly for other reasons which were never entirely clear to me, staying sometimes for just one or two days, sometimes for several weeks.
>
> 六〇年代の後半、なかばは研究の目的で、なかばは私自身判然とした理由のつかぬまま、イギリスからベルギーへの旅をくり返したことがある。一日か二日のこともあれば、数週間にわたることもあったが、いつも遠いはるかな異郷へいざなわれる心地になったそのベルギー旅行のうち、ある輝くような初夏の一日に私が訪れたのは、それまで名前しか知らなかった都市アントワープであった。[†95]

精密な文体には、わずかに違和感もあるが、語彙の選択に細心の注意が払われているようにも感じられる。これは英語だが、おそらく完全にそれになりきれていない——語り手が英国に完全に定住しているわけではないのと同じだ。その効果は、(もちろん)ドイツ語とはわずかにちがうが、失われたものを意識させられるようなものではない。パウンドの『中国』と同様、文章の想像力が発揮されやすいよう、翻訳のことばが積み重ねられているのだ。この繊細で、疎外され、問いかけてくる声は、この最初の文章でも、作品全体を通しても、知りえぬものを追い求めている (reasons which were never entirely clear to me)。

翻訳が文学に危機をもたらすと言われることもある[†96]。このグローバルな世界では、(論旨を引き継げば)読者は翻訳を読むことに慣れていくだろう。そして作家は、翻訳してもらいやすいように書

[†95] W. G. Sebald, *Austerlitz*, tr. Anthea Bell (London: Penguin, 2001), 1.〔W・G・ゼーバルト『[改訳] アウステルリッツ』鈴木仁子訳、白水社、2012年、3頁。〕

く術を習得するだろう。そして翻訳はけっしてオリジナルの文章のようには、文体的にいきいきとはしていないので（と仮定すると）、結果として、言語や、想像力の可能性は緩慢な死をむかえるだろう。

たしかに翻訳はソーステキストに比べると、おもしろみに欠けることもままある。翻訳者がそこまで名文家ではないこともある。語学上の問題があまりに大きい場合もある。しかし翻訳の文学——「トランスラテラチャー translaterature」と呼んでみたい——は、新しい力と回路を発展させながら、翻訳とともに育っていく。

翻訳の劇場

劇場は本質的に翻訳的なかたちをとっている。まず、パフォーマンスのひとつひとつは、いま・ここに生きづいている。それは、人間によって、人間の目の前でおこなわれる。全員が、ひとつの作品を、同じ短い時間の流れのなかで共有する。それは、まさに live（ライブ）なのだ。他方で、ひとつひとつのパフォーマンスはくりかえされもする。それは、前のパフォーマンスから素材と意味を引き継いでいる。ライブなら、いつも少しずつちがっている。もう一度パフォーマンスを観るのと、映像で見返すのではちがう。新作劇の初日でさえ、リハーサルをなんどもくりかえすプレヴューのくりかえしであり、くりかえしのたびに少しずつ変わっ

---

†96　文学が翻訳によって危機にさらされているという意見のひとつは、ティム・パークスによって提起されている。Tim Parks, 'Literature without Style', *NYR Daily*, <http://www.nybooks.com/blogs/nyrblog/2013/nov/07/literature-without-style/>, accessed 26 September 2015.

ていく。古典のパフォーマンスはくりかえされる。そしてそのたびに、別の場所や時代、言語でのパフォーマンスやプロダクションとはちがう。

戯曲翻訳は、くりかえしと変化の融通無碍な実践の一翼を担う。名作戯曲の筋書きは、さまざまなかたちで変奏しうる。義理の息子ヒッポリュトスを愛してしまったパイドラーの悲劇を、古代アテネのエウリピデスが『ヒッポリュトス』という題で上演した。ルキウス・アンナエウス・セネカによるラテン語の改作『パエドラ』がある。フランス語ではジャン・ラシーヌの『フェードル』(1677年)がある。イタリア語ではガブリエーレ・ダンヌンツィオの『フェードラ』(1909年)がある。スペイン語ではミゲル・デ・ウナムーノの『フェードラ』(1911年)がある。アメリカ英語ではユージーン・オニールの『楡の木陰の欲望』(1924年)がある。ロシア語ではマリーナ・ツヴェターエヴァの『フェードラ』(1928年)がある。スウェーデン語ではペール・オーロフ・エンクイストの『フェードラへ』(1980年)がある。ふたたび英語でサラ・ケイン『パイドラーの恋』(1996年)がある。少し列挙するだけでも、こうした言語(とさらにほかの言語)で、膨大な改作と、着想をえた新作があることがわかる。同じことが、ほかの古典劇で無数におこなわれている。

こうした劇場での再創造では、翻訳、翻案、リライトが渾然一体となったところに、新しいプロダクションのアイデアと演出とが加えられる。tradaptation(トラダプテーション)という用語が使われることもある。その目的とはまず第一に、劇のパフォーマンスを成功させることだ。ズールー語の『マクベス』のトラダプテーションで、劇作家ウェルカム・ムソーミは、ズールーのコンテキスト

にうまく合わないため、「人情のミルク」という有名なイメージを割愛してしまった。そのかわり、マクベス夫人にあたる人物は夫の「心臓の鳩」に不安を抱く†97。

ずっと原作によりそった翻訳であっても、読みあげに耐えることばを使わなければならない。ペンギン・クラシックス版のチェーホフ『イヴァーノフ』の、ピーター・カーソンによる英訳では、ある人物がこう口にする ── It's so frightfully boring that I'd simply like to run off and bang my head on a wall. And Lord have mercy on us all! (この退屈さったら、いっそ駆けだしてって、壁に頭でもぶつけてやりたいよ！ まあ、なんてやつらだ、とんでもないよ!)†98。2002年にロンドンのナショナル・シアターでの上演用に、デイヴィッド・ハロワーが書きおろした版では、同じ箇所が以下のようになっている ── I'm so bored I want to take a run at wall. (退屈で退屈で、壁めがけて駆けだしたいよ)。ここでは、(劇場用の翻訳的作品によくあるように) 英語のことばは少なくとも2名の人物の手をへて生まれた。ソーステキストに携わる翻訳家と、それを観客にむけて脚色する劇作家と。

つまり、戯曲翻訳は、第3章と第4章で考察した真理をはっきりと証だてるものである。翻訳はけっして「ひとつの言語」へとなされるのではない。それはつねに言語のようなものへ、ある状況

---

†97 Martin Orkin, '"I am the tusk of an elephant"—Macbeth, Titus and Caesar in Johannesburg', in A. J. Hoenselaars (ed.), *Shakespeare and the Language of Translation* (London: Arden, 2004), 270–88.
†98 チェーホフの例は以下の文献から。Brian Logan, 'Whose Play is it Anyway?', *The Guardian*, 12 March 2003: <http://www.theguardian.com/stage/2003/mar/12/theatre.artsfeatures>, accessed 10 September 2015. 〔アントン・チェーホフ『チェーホフ戯曲選』松下裕訳、水声社、2004年、156頁。〕

へ、ある目的へとなされるのである。上演規模でも変わってくる。アンドレア・ペギネッリは、フィリップ・リドリーの戯曲『ピッチフォーク・ディズニー』(1991年)をイタリア語に訳した。スポレトの野外劇場のために訳出されたこの版は、劇がローマの小規模なフリンジ・シアターで上演されるさいには手を加えなくてはならなかった。

> 台詞を1行しゃべって、7、8メートル歩かなくてはならないのと、2、3歩動くだけでいいのとでは大きな差がある……長めのモノローグのなかには、あの窮屈な客席で聴くには「我慢」できないものもあった。[99]

このように劇場はいま・ここに結びついたものなので、作品が今日性を帯びることはよくある。シェイクスピアの『尺には尺を』が2015年のモスクワで、ロシア語で上演されると、横暴なプーチン政権への批判になった[100]。『ジュリアス・シーザー』の南アフリカでのトラダプテーション『SeZaR』は、2001年にグラハムズタウンで上演されると、直近に起きた暗殺事件に言及しているようにとられた[101]。もちろん、あらゆる演劇で同じことが起こりうる。しかし翻訳は、同時代の現実と、遥か彼方からやってきたフィクションの素材とを結びつけることができる。すでに見た、パウンドの『中国』でも同じようなことが起こっている。劇作家のコリン・ティーヴァンがこのことに気づいたのは、エウリピデスの『ア

---

[99] Andrea Peghinelli, 'Theatre Translation as Collaboration: A Case in Point in British Contemporary Drama', *Journal for Communication and Culture* 2.1 (2012), 20–30, 26.
[100] 2015年の『尺には尺を』のモスクワ公演のロシアでの批評は、以下のサイトを参照した。<http://www.cheekbyjowl.com/measure_for_measure.php>, accessed 11 September 2015.
[101] Laurence Wright, 'Confronting the African Nightmare: Yael Farber's *SeZaR*', *Shakespeare in Southern Africa* 13 (2001): 102–4.

ウリスのイピゲネイア』のトラダプテーションの『Iph』(1999年)を発表したときだった。この作品は、戦果のために生贄に捧げられる少女を描いたものだ。

> 『Iph』は、アイルランド人を意識して書いたんだ。でも、[ロンドンの]コッテスロー・シアターでこれを朗読したとき……パレスチナで最初の女性による自爆テロがおこった直後では、この共鳴現象に聴衆はすごく影響されていた。[102]

今日性と台詞としての通りのよさだけが、戯曲翻訳が成功する道筋ではない。役者の振りつけと台詞は非常に重要だ。言語は、動きや音の表現と連動してはたらくのだ。

おもしろい例をあげよう。1986年、イタリアの劇作家、俳優のダリオ・フォが公演ツアーで全米をまわっていた。フォはイタリア語で演じ、通訳のロン・ジェンキンスが傍らに立ち、英語で台詞を言いなおした。この場合、リズムと動きが大切だったのだ。

> フォはヨハネ・パウロ2世の空港到着を描写する。ドキュメンタリータッチのニュース番組みたいに場面を詳細に描きだしていく……教皇が飛行機のタラップに姿をあらわしたときにモンタージュは最高潮を迎える。フォの語り口はゆっくりと、教皇の出現の細部をスタッカートで現出させていく——「銀色の髪、青い瞳、満面の笑み、猪首。胸筋は隆起している。腹筋は割れている。腰回りにはベルト。そのうえ、赤いマントが足まで垂れている。スーパーマンだ！」

---

[102] コリン・ティーヴァンは、2003年11月11日にロンドンのオリヴィエ・シアターでおこなわれた、クリストファー・キャンベルが司会を務めた「翻訳について」のラウンドテーブルで発言している。<http://www.nationaltheatre.org.uk/discover-more/platforms/platform-papers/on-translation>, accessed 11th September 2015. 情報はすでにサイトにはない。

> 試行錯誤の結果、私が発見したのは、前のフレーズが短く、パンチが効いていないと、「スーパーマン」のオチが笑えないということだった……一連の2言語のリズムは重要で、フォは私の翻訳のビートを利用して、特徴がでてくるたびにジェスチャーで描写をめりはりのきいたものにした。Capelli d'argento. 'Silver hair'. Occhi cerulli. 'Blue eyes'. Grande sorriso. 'Big smile'. イタリア語。英語。イタリア語。英語……ジャジャジャジャーン……「スーパーマンだ!」……ことばの意味だけじゃなく、煽りと空威張りも訳さなくちゃならない。[103]

ジェスチャーと声の表現力があれば、一風変わった言語体験でも、聴衆に呑みこませ、楽しませることができるのだ。

サミュエル・ベケットの戯曲は好例だ。ジェスチャーは厳密に振りつけられ、台詞ははっきりと口にできるものになっているが、起こっていることの重大さは名状しがたい。集まった観客はなにか奇妙な感覚にとらわれる。翻訳はこの効果の実現を助けた。ベケットはフランス語で書き、それを英訳することもあれば、その逆もあった。どちらの言語でも、テキストは翻訳的な想像空間に宿っている——それはどちらが原文でどちらが翻訳だろうと同じだ。文芸批評家のアーノルド・ケトルはこの事実が気に入らなかった。ケトルは、ベケットの『ゴドーを待ちながら』のロンドンでの初演を「自分のフランス語版のまずい翻訳みたいだ」と言った[104]。戯曲の火が出そうなことばを公正に評価したものとは言いがたいが、幾分の真実もふくまれてもいる。ベケットの文体は英語・フランス語双方の話法の規範から、わずかに距離が

---

[103] Ron Jenkins, 'The Rhythms of Resurrection', in Joseph Farrell and Antonio Scude (eds.), *Dario Fo: Stage, Text, and Tradition* (Carbondale, IL: Southern Illinois University Press, 2000), 29–38, 34.

あるときにも、はっとするほどいきいきとしているのだ。これは、アンシア・ベルのW・G・ゼーバルトの英訳にも少し似ている。

観客も、外国語のパフォーマンスを楽しめる。その劇を自分の言語ですでに読んでいれば役に立つし、オペラのような上部字幕も有用だ。2015年のロシア語版『尺には尺を』も、2001年のズールー語、コサ語、ソト語、ツワナ語、ツォツィタール語がシェイクスピアの英語に混ざった『SeZaR』も、イギリスで公演がおこなわれて成功した。これは、グローバリゼーションの副産物として、現代的な現象ともとれる。2012年、ロンドンのグローブ座は、シェイクスピアをオリンピック競技大会に合わせて37か国語で上演した。実際、ヴィクトリア時代のロンドンっ子も、シェイクスピア劇をフランス語やイタリア語で楽しんでいた。乙にすました英国式パフォーマンスが閑却してしまった劇の真相を、情熱的な外国人が暴いてくれると思っていたのだ[105]。

一見したところ、これは翻訳の奇妙な使い道のようだ。母語から理解不能な言語に訳された演劇を、わざわざ観にいくなんて。しかし、こういった上演を目の当たりにすれば、動作、身振り、イントネーションに一段と気を配り、身体性と音が指すものの解釈に心を砕くようになる。いつもより純度の高い体験をしているように感じられるのだ。

---

[104] アーノルド・ケトルの評は以下の文献に引用されている。Sinéad Mooney, *A Tongue not Mine: Beckett and Translation* (Oxford: OUP, 2011), 178.
[105] ヴィクトリア時代の人々が外国語でシェイクスピア劇を観ていたことは、以下の文献でとりあげられている。Matthew Reynolds, 'Theatrical Allusion', *Essays in Criticism*, 55.1 (2005), 80–8.

あらゆる戯曲翻訳は、ボディランゲージとのコラボレーションにかかっている。この点において、ほかの翻訳とは一線を画している。もちろん、字幕と吹き替えは、役者の演技を上書きしてしまうが、役者は翻訳に自分のパフォーマンスを合わせようとはしない。小説や詩の翻訳者は、自分の翻訳を声に出して読んでみることもあるだろう(ソーステキストの作者と組みになることもあるかもしれない)。しかし、朗読のさいに付け加わる意味は、上演のときほど大きくはない。ゆえにパフォーマンスの要素は、劇場翻訳にとって不可欠な、際だった特徴なのだ。

しかしそれでも、劇場翻訳という特例は、あらゆる翻訳のしくみに光をあてるものでもある。演劇作品のように、あらゆる翻訳はソーステキストの解釈である。(まさに劇場を訪れるみたいに)翻訳を訪れれば、すでに読んだり見たりしたことがある作品の、新たな一面が見つかる。これが、(たとえ自分の第1言語だったとしても)ある言語で書かれたテキストについてよく知りたければ、自分が読める別の言語の訳文を見てみたほうがいい理由である。モノリンガルの欠点は、他言語の文章を遮断してしまうことだけにあるのではない。自分自身の言語で書かれた文章への鑑賞眼を育てるリソースを失うことにもあるのだ。

プロダクションは解釈ではないという見方もある。むしろ、それ自体が戯曲(スクリプト)によって存在させられた「上演(プレイ)」なのだ。第4章で見たように、翻訳はソーステキストのたんなる解釈ではない。翻訳は、それ自体が解釈を必要とする想像力の産物でもある。多くの分野で、創作物としての翻訳の役割は、制約され、ないものとされている。取扱説明書や、ニュース記事や、国連の決議や、

ほかの定型表現の翻訳は、いつもなにか新鮮な風を吹きこんでくる。しかし、翻訳がなされるまさにその方法こそ、創造性を限界まで抑えこんでしまう。決まりきった翻訳の読み方は、創造性から目を背けるようにしむけている。

しかし、劇場だろうが印刷物だろうが、文学にあってはこの翻訳の二重性は花ひらくことができる。翻訳はほかの作品の解釈でもありながら、独立した作品でもある。だから翻訳は、現在と過去を、こことここではないどこかを結べるのだ。だから翻訳は、概念や感覚、性向に光をあて、対比や接続の機会をあたえつつ、異文化同士、異文化の人間同士を橋渡しできるのだ。だから文芸翻訳は、翻訳一般で危うくなるものを、白日のもとにさらしてしまうのだ。それは翻訳文学が、かくも力強い想像力の水脈である理由でもある。

ふたつの未来

1番目の未来では、機械翻訳が便利な道具としてどんどん使われるようになる。外国語をきちんと勉強する必要をだれも感じなくなる。コンピュータを使わないにしても、グローバル・イングリッシュでほぼだれとでもコミュニケーションできる。どこにでもあるかわりにどこのものでもないせいで、豊かさやニュアンスに欠けたジャーゴンとなりはてた言語だ。それは、普遍翻訳調だ。国家語はビジネス、政治、科学、教育のグローバル競技場でもはや必要とされなくなり、次第に使用目的が減っていく。多くの方言同様、国家語は枯れはてていく。言語はノスタルジーの産物、保存の対象になりさがる。何世紀にもわたり、無数の言語で、

無数の印刷文化で発展してきたその表現力は干からび、消えていく。

2番目の未来では、インターネット、移民、グローバリゼーションのその他の力で、言語の差に人々はより意識的になっていく。機械翻訳プログラムを、コミュニケーションだけでなく、いまとはちがう表現上の可能性をさぐるために活用する。英語は広まるにつれ断片化していく──地域言語共同体や、仮想言語共同体が目的に応じて英語をつくりなおし、分割してしまう──かつてラテン語がその憂き目にあったように。北京語、ポルトガル語、スワヒリ語のような鎬を削るグローバル言語は脱落しない。人々は多言語主義を享受し、目的やムードに合わせて別の言語を使う。ある言語でおしゃべりし、別の言語で書き、ビジネスはまた別の言語、といった具合に。

おそらく、どちらの未来もここで書いたそのままのかたちでは起こらない。しかし、どちらの未来のシナリオもなにかしらは起こるだろう。どちらの潮流も、お互いを呑みこみあうだろう。ある面では翻訳は言語の敵であり、ならし、均一化する力である。しかし、翻訳は言語の恋人でもある。翻訳は差異を識別し、評価する。言語改革を促進する。さらに、言語そのものの目的もコミュニケーションだけではない。言語のおかげで、お互いにちがう風にいられるのだ。それがあるおかげで、ほかでもないこのグループに属し、ほかでもないこの人々に理解される──私たち自身になることができる。

これが、私たちが言語を使い、それについて考えるうえで、翻訳

を中心にすえるべき理由だ。翻訳は差異を橋わたしするだけでなく、その存在をあばき、楽しませもする。そう、バベルは呪いでもあり、祝福でもあったのだ。

2冊目以降はこちら

i 交わる言語

Paul Hammond, *Dryden and the Traces of Classical Rome* (Oxford: OUP, 1999)は、ドライデンのラテン語との翻訳的なかかわりについて考察している。David Norton, *A History of the English Bible as Literature* (Cambridge: CUP, 2000)は、ジェイムズ王訳聖書の言語に対する人々の態度の変遷を書いている。ドラゴマンやほかの調停役については、Noel Malcolm, *Agents of Empire: Knights, Corsairs, Jesuits and Spies in the Sixteenth-Century Mediterranean World* (London: Allen Lane, 2015)を参照。仏典の翻訳については、Martha P. Y. Cheung (ed.) *An Anthology of Chinese Discourse on Translation*, vol 1: *From Earliest Times to the Buddhist Project* (Manchester, St. Jerome, 2006)を参照のこと。

ii 定義

翻訳行為の射程をめぐる示唆に富む議論は、以下の書籍を参照のこと。Theo Hermans, *The Conference of the Tongues* (Manchester: St. Jerome, 2007); Douglas Robinson, *The Translator's Turn* (Baltimore and London: Johns Hopkins University Press, 1991); Rita Copeland, *Rhetoric, Hermeneutics, and Translation in the Middle Ages: Academic Traditions and Vernacular Texts* (Cambridge: CUP, 1991); Ronit Ricci and Jan van der Putten (eds.), *Translation in Asia: Theories, Practices, Histories* (Manchester: St. Jerome Publishing, 2011); Sandra Bermann and Catherine Porter (eds.), *A Companion to Translation Studies* (Chichester: Wiley-Blackwell, 2014). 以下のアンソロジーも有益だ。Daniel Weissbort and Astradur Eysteinsson (eds.), *Translation-Theory and Practice: A Historical Reader* (Oxford: OUP, 2006); Mona Baker (ed.), *Critical Readings in Translation Studies* (Abingdon: Routledge, 2010).

iii ことば、コンテキスト、目的

D. A. Cruse, *Meaning in Language: An Introduction to Semantics and Pragmatics*, 3rd edn (Oxford: OUP, 2011)〔アラン・クルーズ『言語における意味――意味論と語用論』片岡宏仁訳、東京電機大学出版局、2012年〕は、意味についての一般的な解説としてよい。J. L. Austin, *How to Do Things With Words* (Oxford: Clarendon Press, 1962)〔J・L・オースティン『言語と行為』坂本百大訳、大修館書店、1978年〕は、発話行為と発話を論じた古典。等価性のさまざまな種類についてはMona Baker, *In Other Words: A Coursebook on Translation*, 2nd edn. (Abingdon: Routledge, 2011)で調べられている。翻訳における目的については、Katharina Reiss and Hans J. Vermeer, *Towards a General Theory of Translational Action: Skopos Theory Explained* (Manchester: St Jerome, 2013)〔カタリーナ・ライス、ハンス・ヨーゼフ・フェアメーア『スコポス理論とテクストタイプ別翻訳理論――一般翻訳理論の基礎』藤濤文子監訳、伊原紀子・田辺希久子訳、晃洋書房、2019年〕を参照のこと。字幕やそのほかのオーディオ・ヴィジュアル・メディアの翻訳については、

Carol O'Sullivan, *Translating Popular Film* (Basingstoke: Palgrave Macmillan, 2010)を参照のこと。

iv かたち、アイデンティティ、解釈

Otto Neurath, *International Picture Language: The First Rules of Isotype* (London: K. Paul, Trench, Trubner & Co., 1936)〔オットー・ノイラート『ISOTYPE』永原康史監訳、牧尾晴喜訳、ビー・エヌ・エヌ新社、2017年〕は、図像サインへの魅惑的な入門書だ。Eric Griffiths and Matthew Reynolds (eds.), *Dante in English* (Harmondsworth: Penguin, 2005)は、刊行されたダンテの英訳を集めている。韻文翻訳へのチャレンジを、おもしろおかしく開陳したものが、Douglas R. Hofstadter, *Le Ton Beau Marot: In Praise of the Music of Language* (New York: Basic Books, 1997)になる。解釈共同体については、以下の書籍を参照のこと。Stanley Fish, *Is there a Text in This Class: The Authority of Interpretive Communities* (Cambridge, MA, and London: Harvard University Press, 1980)〔スタンリー・フィッシュ『このクラスにテクストはありますか——解釈共同体の権威3』小林昌夫訳、みすず書房、1992年〕および、Samuel Weber, *Institution and Interpretation*, expanded edn. (Stanford, CA: Stanford University Press, 2002)〔以下に部分訳が掲載されている。サミュエル・ウェーバー「人文学の未来——実験すること」門林岳史・宮﨑裕助訳『表象』第1号、2007年、78–104頁。サミュエル・ウェーバー「大学の未来——カッティング・エッジ」河野年宏・宮﨑裕助訳『現代思想』第37巻第4号、2009年4月、222-241頁〕。

v 力、宗教、選択

Lawrence Venuti, *The Scandals of Translation: Towards an Ethics of Difference* (London and New York: Routledge, 1998)は、出版産業についてのきわめてすぐれた内容の本。以下の書籍は、それぞれの題名が示す通り、さまざまなトピックを精査している。Eric Cheyfitz, *The Poetics of Imperialism Translation and Colonization from* The Tempest *to* Tarzan (New York: OUP, 1991); Sherry Simon, *Gender in Translation: Cultural Identity and the Politics of Transmission* (London: Routledge, 1996); Ziad Elmarsafy, *The Enlightenment Qur'an: The Politics of Translation and the Construction of Islam* (Oxford: Oneworld, 2009); Mona Baker, *Translation and Conflict: A Narrative Account* (London: Routledge, 2006). 一般的な解説は、以下の書籍を参照のこと。Michael Cronin, *Translation and Identity* (London: Routledge, 2006); Maria Tymoczko and Edwin Gentzler (eds.), *Translation and Power* (Amherst: University of Massachusetts Press, 2002).

vi 世界のことば

翻訳のグローバル市場と欧州議会の通訳ロジスティクスについては、以下の書籍の解説が愉快だ。David Bellos, *Is That a Fish in Your Ear: Translation and the Meaning of Everything* (London: Particular Books, 2011). Michael Cronin, *Translation in the Digital Age* (New York: Routledge, 2013)は、刺激的な議論をしている。次の書籍は参考になる調査をおこなっている。Esperança Bielsa and Susan Bassnett, *Translation in Global News* (Abingdon: Routledge, 2009). 以下の最近の書籍も参照のこと。Mona Baker (ed.), *Translating Dissent: Voices from and with the Egyptian Revolution* (Abingdon: Routledge, 2016).

vii 翻訳的文学

ティム・パークスは、フィクションの翻訳で失われるものの例をいくつかあげている。Tim Parks, *Translating Style: A Literary Approach to Translation: A Translation Approach to Literature*, 2nd edn. (Manchester: St Jerome, 2007). レベッカ・L・ウォルコヴィッツは著書で、ある種の明暗を描きだしている。Rebecca L. Walkowitz, *Born Translated: The Contemporary Novel in an Age of World Literature* (New York: Columbia University Press, 2015)〔レベッカ・L・ウォルコヴィッツ『ボーン・トランスレーテッド──世界文学時代における小説』佐藤元状・吉田恭子監訳、秦邦生・田尻芳樹訳、松籟社、2019年刊行予定〕. Peter Robinson, *Poetry and Translation: The Art of the Impossible* (Liverpool: Liverpool University Press, 2010)は、同じテーマについて真摯に考察している。Clive Scott, *Literary Translation and the Rediscovery of Reading* (Cambridge: CUP, 2012)は、読者の反応を明示する方法として、翻訳を考察している。以下の書籍も参照のこと。Matthew Reynolds, *The Poetry of Translation: From Chaucer and Petrarch to Homer and Logue* (Oxford: OUP, 2011).

2冊目以降はこちら

日本の読者むけの読書案内

本書には著者によって「2冊目以降はこちら Further Reading」がつけられています。もちろん、日本でも翻訳についての書籍は多々刊行されています。ここでは、原書であげられていない日本語の文献で、専門的すぎないもの、本書の内容の理解を深めるのに役に立つもの、本書があまりとりあげていないが重要な翻訳の側面について教えてくれるものをいくつかあげてみました。参考にしてください。

1. 事典

モナ・ベイカー、ガブリエラ・サルダーニャ編『翻訳研究のキーワード――27のキーワードで読み解く翻訳研究の世界』藤濤文子監修・編訳、伊原紀子・田辺希久子訳、研究社、2013年。
Routledge Encyclopedia of Translation Studies(第2版)の抄訳。「翻案」「イデオロギー」「ポリシステム」など、手元において概念・理論などを参照するのに好適。

2. 入門書

鳥飼玖美子編著『よくわかる翻訳通訳学』ミネルヴァ書房、2013年。
東西の通訳史から翻訳史、翻訳理論、近年の機械翻訳、ファンサブといった話題まで、本書であつかったことはほぼ網羅され、見開き2頁に手際よくまとめられている。

ミカエル・ウスティノフ『翻訳――その歴史・理論・展望』服部雄一郎訳、白水社文庫クセジュ、2008年。
新しい学問分野である翻訳研究を、コンパクトにまとめた入門書。サミュエル・ベケット、ウラジーミル・ナボコフ、ジュリアン・グリーンを比較した研究書の著者らしく、自己翻訳についても触れられている。

3. 概説書

ジェレミー・マンデイ『翻訳学入門』鳥飼玖美子監訳、長沼美香子・水野的・斉藤美野・坪井睦子・吉田理加・山田優・河原清志訳、みすず書房、2009年。
学問として成立した翻訳研究を大学で教授することを念頭において書かれたもので、主な学説や研究の流れ、理論を紹介している。原書は定評があり、2018年現在、第4版が刊行されている。

アンソニー・ピム『翻訳理論の探求』武田珂代子訳、2010年。
現在の翻訳研究で流通する主だった理論について解説されている。「等価」「目的」といった定番に加えて、「ローカリゼーション」「文化翻訳」といったトピックにかなりの紙幅が割かれているのが特徴だろうか。

4. 翻訳史

辻由美『翻訳史のプロムナード』みすず書房、1993年。
古代メソポタミアから現代の翻訳会議、フランスと日本の翻訳者の報酬制度のちがいまで、フランスを中心に翻訳や翻訳者にまつわるエピソードが縷々として語られる。

スコット・L・モンゴメリ『翻訳のダイナミズム――時代と文化を貫く知の運動』大久保友博訳、白水社、2016年。
古代ギリシャの「知」がいかに伝達されたのか。シリア語、ペルシャ語、そしてアラビア語へと翻訳をつうじて流通する科学技術を追っていく。本書の射程には「日本の科学受容史」もふくまれる。

5. ことば、レアリア、詩

黒田龍之助『ことばはフラフラ変わる』白水社、2018年。
スラヴ語学者による比較言語学の講義録。本書でも触れられている、言語接触やその変化、政治による言語への介入などが言語学の観点から解説されている。

アンナ・ヴィエルジュビツカ『キーワードによる異文化理解――英語・ロシア語・ポーランド語・日本語の場合』谷口伊兵衛訳、而立書房、2009年。
「キーワード」を元に文化を理解する試み。たとえば「友だち」ということばの各言語での意味範囲はどこまで重なり、どこでずれるのか。後半では「甘え」「和」など日本語のキーワードをとりあげ、分析している。

佐藤紘彰『訳せないもの――翻訳にからめた文化論』サイマル出版会、1996年。
日本の詩歌を数多く英訳した著者による翻訳論。詩を訳すうえでの、生物などのレアリアの問題、和歌の英訳のシラブル数や句切れの変化などについて触れられている。

6. 戦争、メディア

エミリー・アプター『翻訳地帯――新しい人文学の批評パラダイムにむけて』秋草俊一郎・今井亮一・坪野圭介・山辺弦訳、慶應義塾大学出版会、2018年。
翻訳という観点から人文学全体を再考しようとした本。戦争、クレオール、遺伝子クローニング、現代アートなどなどといった諸問題と縦横無尽に切り結んでいく。第1章「9.11後の翻訳」では、9.11同時多発テロ後の翻訳状況が分析される。第6章「「翻訳不可能」なアルジェリア」では翻訳の国際市場における流通もあつかわれている。

鳥飼玖美子『歴史をかえた誤訳』新潮文庫、2004年。
長年、通訳の第一人者として活躍してきた著者による通訳・翻訳論。戦後の外交交渉において、翻訳が原因で日米間に生まれた摩擦や誤解に関する記述がとりわけ興味深い。言うまでもなく、このような摩擦は単に翻訳のせいからではなく、アメリカという圧倒的なパワーのもとにおかれた日本の政治状況から生まれたものだろう。

坪井睦子『ボスニア紛争報道――メディアの表象と翻訳行為』みすず書房、2013年。
ボスニア紛争報道において、国際報道がなにをどのようなアングルで報じたのか、さまざまな媒体を調査して詳述したもの。報道において、メディアがいかに現実の紛争を「ストーリー」にあてはめていくか、そしてそのプロセスで翻訳がいかに不可視化されているかがわかる。

7. ジェンダー

中村桃子『女ことばと日本語』岩波新書、2012年。
翻訳についてのみ語られた著作ではない。しかし、「不思議なことに、現在、もっとも典型的な女ことばを話しているのは、日本人女性ではなく、翻訳の中の非日本人女性」だと指摘する著者は、言文一致運動の中で、西洋小説の翻訳をつうじて「てよだわ言葉」が女性にわりあてられたと述べる。

日本の読者むけの読書案内

8. 聖書、植民地主義

永嶋大典『英訳聖書の歴史――付 邦訳聖書小史』研究社、1988年。
翻訳研究の歴史は聖書翻訳の研究からはじまったと言っていい。聖書の成り立ちから語りおこし、古英語訳から現代英語訳まで、英訳聖書の歴史が概観できる。邦訳聖書の歴史についても触れられている。

柳父章『「ゴッド」は神か上帝か』岩波現代文庫、2001年。
著者は日本の翻訳研究の第一人者。本書でもとりあげられている漢訳聖書のGodを「神」と訳すか「上帝」と訳すかの問題にからめて、英国の植民地主義に宣教師が果たした役割、漢訳聖書が聖書の日本語訳にあたえた影響などが語られる。

9. 漢文訓読、仏典漢訳、漢文脈

金文京『漢文と東アジア――訓読の文化圏』岩波新書、2010年。
中国、朝鮮、日本、ベトナムの東アジア漢字文化圏における漢文訓読や、それに類する営みの歴史やその影響について記されている。中国からの影響だけでなく、明治期の日本の変体漢文が東アジアにおよぼした影響についても触れられている。仏典の漢訳についても言及されている。

船山徹『仏典はどう漢訳されたのか――スートラが経典になるとき』岩波書店、2013年。
仏典の漢訳について、最新の知見をもとに歴史と実情がわかりやすく解説されている。著者は西洋の翻訳研究の理論を踏まえたうえで、それからはみだすものとして仏典漢訳のような営みを考察しているのも本書の読者には興味深いだろう。

齋藤希史『漢文脈と近代日本』角川ソフィア文庫、2014年。
江戸時代から明治、大正まで、漢文が人々の素養となり、近代日本の「文学」に息づくようになった過程を描いている。鴎外、漱石、荷風、芥川、谷崎といった作家たちが漢文脈をどうとりいれ、あるいはどう距離をとったのかが示される。

10. 欧文脈

柳父章『翻訳語成立事情』岩波新書、1982年。
「社会」「近代」など、明治期に西欧語に対応してつくられた日本語や、新しい意味を付与された日本語をとりあげ、成立を詳らかにする。その結果、原語の意味が不明でも、流通する「カセット効果」が生まれたと著者は主張する。

鈴木直『輸入学問の功罪――この翻訳わかりますか?』ちくま新書、2007年。
カントやマルクス、ヘーゲルなどの邦訳に見られる「ぎこちなさ」を批判する著者は、日本の近代化にその原因を求める。一度は同化的に訳された『資本論』が、批判を浴びて原文が透けて見えるような過度に異化的な訳文に敗北し、現在まで流通しているのは興味深い。

11. 日本の翻訳者、翻訳理論、言説

柳父章、長沼美香子、水野的編『日本の翻訳論――アンソロジーと解題』法政大学出版局、2010年。
開国以来、流れこんできた西洋の思想や文学をいかに訳すか、知識人たちは意見を戦わせてきた。二葉亭四迷、坪内逍遥、森田思軒など、明治期から戦前までの代表的な翻訳につ

いての日本語の言説をあつめ、解題を加えている。

小谷野敦編著『翻訳家列伝101』新書館、2009年。
近代以降の日本の主だった文芸翻訳家の事績をあつめたもの。明治、大正期に活躍した翻訳家が、言語別にまとめられている。エピソードがおもしろい。

12. 翻訳出版

宮田昇『出版の境界に生きる──私の歩んだ戦後と出版の七〇年史』太田出版、2017年。
長年エージェント業を営んだ著者による回想録。翻訳に関する著作権法、翻訳出版にエージェントの果たす役割などが語られている。「翻訳大国」として語られがちな日本の翻訳の実態が理解できる。

13. 文芸翻訳指南

日本における翻訳書の全般的な不振を考えると奇妙なことだが、文芸翻訳の指南書は、かなりの点数が出版されている。ここでは比較的手に取りやすく、内容が具体的なものを選んだ。

柳瀬尚紀『翻訳はいかにすべきか』岩波新書、2000年。

柴田元幸『翻訳教室』朝日文庫、2013年。

鴻巣友希子『翻訳ってなんだろう？──あの名作を訳してみる』ちくまプリマー新書、2018年。

14. アダプテーション

リンダ・ハッチオン『アダプテーションの理論』片渕悦久・鴨川啓信・武田雅史訳、晃洋書房、2012年。
ある作品がメディアをまたいで移しかえられることを「アダプテーション（翻案）」と呼ぶ。この本は、小説、映画、演劇、ゲーム、アニメなど、英語圏のものが中心ながら、とりあげられる題材の例が幅広いのが特徴。

15. フィクション

リュドミラ・ウリツカヤ『通訳ダニエル・シュタイン（上）（下）』前田和泉訳、新潮社、2009年。
ポーランドのユダヤ人の家庭に生まれたダニエル・シュタインは、ホロコーストをまぬがれ、ゲシュタポの通訳になる。ゲットーの殲滅計画を察知した彼は、情報を流して300人のユダヤ人を逃がすことに成功する。そのあと、情報漏洩の責任を上官に問われ、自分はユダヤ人だと正直に告白して、罪に問われる。奇跡的に生き残った後も、ダニエル・シュタインは救えなかった無数のユダヤ人への悔いを心に残したまま生きた。翻訳・通訳の「責任」について考えさせられる、実在の人物をモデルにした長編小説。

16. 翻訳的文学

井上健『文豪の翻訳力──近現代日本の作家翻訳　谷崎潤一郎から村上春樹まで』武田ランダムハウスジャパン、2011年。

欧米と比べても、日本では作家が外国文学の受容に重要な役割をはたしてきた。「作家翻訳」という観点から、浩瀚な知識をもって谷崎潤一郎以降の近現代の文学と翻訳文学を一望する。

多和田葉子『エクソフォニー――母語の外へ出る旅』岩波現代文庫、2012年。
日独のバイリンガル作家多和田葉子による、ことばをめぐるエッセイ集。「母語の外に出た状態」を指すという「エクソフォニー」を、旅や翻訳をめぐる考察で実践する。

秋草俊一郎『ナボコフ　訳すのは「私」――自己翻訳がひらくテクスト』東京大学出版会、2011年。
最後に拙著を。露英両言語で創作した作家ナボコフは、自分で自分の作品を翻訳した「自己翻訳」の作家／翻訳家でもあった。ひとつの作品のロシア語版と英語版を読み比べることで見えてくるものを描いた。

訳者解説

1

本書は、Matthew Reynolds, *Translation: A Very Short Introduction* (Oxford: Oxford University Press, 2016) の邦訳である。原書は、オックスフォード大学出版会より刊行されているシリーズ Very Short Introductions の 1 冊である。本シリーズは 1995 年の刊行開始以来、すでに 500 冊、700 万部を超えて出版され、世界 40 か国以上で翻訳されている定評のあるものだ（日本でも現在までに 80 冊以上が邦訳刊行されている）。実際に、シリーズ 493 冊目となる本書も、すでに朝鮮語版が刊行されている。

大学生以下を対象としたシリーズだが、本書からもわかるように、読者に語りかけるような平易な文体が特徴で、高校生ぐらいから内容を理解できるものになっている。「入門書」と銘打たれていても、分野によっては膨大な分量の書籍もあるなかで、本シリーズはまさに最初に手にとるのにふさわしいボリューム感が特色だ。

著者のマシュー・レイノルズはオックスフォード大学教授。専門は英文学。著書に『翻訳の詩学——チョーサーとペトラルカからホメロスとローグまで』（オックスフォード大学出版会、2011 年）がある。翻訳に関する仕事としては共著書『英語におけるダンテ』（2005 年）、共著書『オックスフォード版文芸翻訳の歴史』第 4 巻（2006 年）がある。オックスフォード＝ワイデンフェルド翻訳賞の

審査委員長もつとめた。

　なお、本作についてのグーグル・トークがウェブ上で公開されているが（Matthew Reynolds: "The World of Translation" | Talks at Google https://www.youtube.com/watch?v=UCXSoBvyaKU）、そこでレイノルズは、幼いころ科学者だった両親の会話を聞き、知っているはずの言語なのに、内容が理解できないことに興味を覚えたと語っている。まさに「言語内翻訳」が必要な環境で生活していたわけだ。

2

　本書は「翻訳 translation」という事象をさまざまな観点から論じた入門書だ。

　翻訳と言えば、日本では「ヨコのものをタテになおす」的な発想が根深いが、歴史的にも、日常のレベルにおいても、広義の翻訳は私たちが思考し、生活を営むうえでも欠かせないものだ。翻訳とは言葉と言葉をたんに置きかえることではなく、言語や文化が接触するところにかならずおこるものでもある。それは、必ずしも「外国」語や「異国」文化でなくてもかまわない。自国語や自国文化のなかでさえ、翻訳が必要とされる局面は多々あるのだ。

　翻訳を「ヨコのものをタテになおす」、つまり「ことばとことばを置きかえる」と単純にとらえてしまうと（本書ではそれに類似する概念に「厳密に定義された翻訳」という用語があてられている）、昨今のように、ブラウザ上のボタンひとつで「翻訳」がおこなえてしまう時代にあっては、かんたんに原文の「等価物」が入手できるという思いこみにもつながりかねない。また、学校のテストや入試で課される英文和訳は、翻訳に「正解」があるという思いこみも生む。

その結果、原文をそのまま訳した「直訳」や、その対義語として
の読みやすい、わかりやすい「意訳」という用語をなんとなしに
使ってしまったりもする。

　本書は、そのような思いこみの霧を晴らしてくれる。実は翻訳
はひとつの「解釈」であって、自動的に正解を案出するようなも
のではない。ことばに込められた「意味」(内包的にせよ、指示的に
せよ)すら、単純な置きかえでは十全には表現することはできな
い。「直訳」や「意訳」は(そしてより厳密な用語である「同化的翻訳」や
「異化的翻訳」も)、ある観点から見ればそう言えるというものであ
って、別の観点から見ればまったく逆のことも言えてしまうもの
だ。ただし、翻訳がただの「解釈」ではないのは、文学作品など
の場合顕著だが、翻訳はさらに解釈を必要とするものだからだ。

　また、翻訳を「ヨコのものをタテになおす」と狭くとらえてしま
うと、漢語の日本語へのとりいれや、漢文訓読などの歴史ある
営みを見落としてしまうことになる(「タテからタテに」の翻訳だ)。本
書でも触れられている漢文訓読は、特異な「翻訳」として、近年
翻訳研究においても注目をあつめている。

　レイノルズは漢文訓読をふたつの言語のあいだの「中立地
帯」と表現し、翻訳のあらたな可能性を見いだそうとする。本書
では十分なスペースが割かれているわけではないが、日本では
古くより、異国の言語である漢文を特殊な方法を用いて解読し
てきた。その結果、一種のクレオール語である「漢文訓読語」
が生まれ、日本語の中にとりこまれていった。漢語の輸入なども
ふくめ、私たちがその翻訳性を意識しないのは、それがあまりに
日本語と不可分になってしまったせいもあるだろう。もちろん、
明治期には言文一致運動があり、西洋文学の翻訳をつうじて、
日本語はさらにつくりかえられることになる。私たちの言語活動

自体が、実は「翻訳」ぬきには考えられないのだ。

3

「ヨコのものをタテになおす」という発想では、テキスト以外の翻訳や、メディア間の翻訳・翻案(アダプテーション)もとらえることができない。文学作品の映画化、演劇化はその最たるものだろう。それだけでなく、本書ではマンガの翻訳や、日本のアニメのファンによる海賊版的な翻訳(ファンサブ)もとりあげられている。

ここで、本書でとりあげられているマンガの翻訳について、少し補足しておきたい。レイノルズは宮崎駿『風の谷のナウシカ』のコミックス版の英訳 *Nausicaä of the Valley of Wind* の1ページを引用し、そこでふきだしや、描き文字が、ソネット詩形と同じように、ある種の「かたち」をたもったまま翻訳がおこなわれている

ことを指摘している。

　しかし、1995年に『風の谷のナウシカ』のコミックス版がサンフランシスコのヴィズ・コミュニケーションズから「パーフェクト・コレクション・トランスレーション」と副題されて4巻本で刊行されたさい‡1、レイアウトは海外のコミックス同様左開きで印刷され、それに合わせてすべてのページが左右反転して印刷されていた。また、描き文字もすべて英語になおされていた（図）。日本語の「キーン!!」が「Kill!!」に、「キュルルルルル」が「heeooooouuuuuuu」になおされているのがわかるだろう‡2。

　この「パーフェクト・コレクション・トランスレーション」の裏表紙には、SF作家のステッパン・チャップマンによる「〔本作はマンガのなかでも〕グラフィックノベルと呼んでいい稀な作品のひとつだ。私の考えでは、いままでで最良のグラフィックノベルだ」という評言が引用されていた。このことからもわかるように、95年当時には、版元はこの本は「マンガ」というよりも（英語圏の）「グラフィックノベル」だと読者に強調する必要があった。これは、映画版『風の谷のナウシカ』自体が、85年のアメリカ初公開時には『風の戦士たち』*Warriors of the Wind*というタイトルで、登場人物の名前もすべて英語風になおされ、作品自体も編集されていたことを思えば、ある意味ではしかたのないことだったのかもしれない（『風の谷のナウシカ』オリジナル版のDVDでの海外再リリースは、2005年）。

　この『ナウシカ』英語版は、2012年にはヴィズ・メディアから「デ

---

‡1　1993年に徳間書店が英語版のビジュアルブックを刊行している。
‡2　Hayao Miyazaki, *Nausicaä of the Valley of Wind: Perfect Collection Translation*, Vol. 1. trans. David Lewis and Toren Smith, San Francisco, CA: Viz Communications, 1995. p. 11.
‡3　Hayao Miyazaki, *Nausicaä of the Valley of Wind: Deluxe Edition*, Vol. 1. trans. David Lewis and Toren Smith, San Francisco, CA: Viz Media, 2012.

ラックス・エディション」として再版された‡3。レイノルズが本文中で参照しているのはおそらくこちらの版で、このピンナップつきの豪華な装丁の2巻本では、日本語版のレイアウトのまま(つまり「右から左に」読む)、描き文字も日本語のままとされた。巻末には語彙集がつけられ、描き文字に対応する意味や音が明記されている。95年の「パーフェクト・コレクション・トランスレーション」から見ると、同化翻訳から異化翻訳に大きく舵をきったことになる。訳者自体はデイヴィッド・ルイスとトーレン・スミスから変わっていないので、これは①アニメスタジオであるジブリのブランド名が知れわたったこと、②それにつれてマンガ版『ナウシカ』のコンテンツとしての価値が高まったこと、③日本のマンガ・アニメがグラフィックノベルやアニメーションの下位区分ではない、独立したジャンルとして認知され、海外にもファンが増えたこと、といった複数の要因が考えられる。本書でも紹介される、近年のファンサブの隆盛も、マンガ・アニメの海外での普及なくして理解することはできない。

　つまりレイノルズは説明していないが、英語版がレイアウトを変えなくなり、視覚パターンが翻訳されないままになるのには‡4、20年近くの時の流れが必要だったことになる。こうした事例からも、翻訳が、つねに異なる文化同士の交渉の結果生まれるものだということがわかる。ここから、イスラエルの翻訳理論家イタマー・イヴン゠ゾウハーが提唱した、翻訳をシステムとして考えようという、多元(ポリ)システム論まではもう一歩だ。

---

‡4 なお、本書の原書で使われている『風の谷のナウシカ』英語版からの引用は、なぜか「パーフェクト・コレクション・トランスレーション」とも「デラックス・エディション」とも(もちろん本文中のレイノルズの説明とも)食いちがっていて、5コマ目の「キーン!!」のみ「パーフェクト・コレクション・トランスレーション」と同じ「Kill!!」という風になおされたままになっている。これらの版にも、さまざまなエディションがあったものと思われる。

4

　メディア間翻訳、機械翻訳、植民地における翻訳……多様な事例をあつかいながら、本書はその列挙に留まらない。事例と事例をうまく結びつけて、ものごとの新しい面の理解をうながしている。たとえば、漢文訓読とグーグル翻訳がどちらの言語にも属さないことばをつくりだすという点で共通しているとか、日本の漫画を英語に訳すことと、詩の翻訳が「かたち」の翻訳という点で似ているとか、発想が柔軟である。

　さらにベンヤミン、スピヴァクといった理論・思想面での翻訳のあつかわれ方だけでなく、ヤコブソンの言語内翻訳という考え方、目的によって翻訳は決定されるというスコポス理論や、等価性の概念を考察したナイダなど、過去の翻訳研究(トランスレーション・スタディーズ)でなにが問題になってきたのかを、一通り知ることができるだろう。こういった議論が、抽象的になりすぎていないのは、すでに説明したような身近な例をうまくつかってわかりやすい説明がされているためだ。

　また、紹介のバランスもいい。たとえば、ベンガル語女性作家モハッシェタ・デビの翻訳において、ガヤトリ・スピヴァクは、有名な論文「翻訳の政治学」で「テキストに降伏」すべし、と主張したが、レイノルズはマラヤーラム語の訳者リーラ・サルカールの例を紹介し、訳者のおかれた状況によってはかならずしも正解はそうとはかぎらないことを述べている(第5章)。このようなバランス感覚が、理解しやすい説明にも貢献している。

　脚注の文献や「2冊目以降はこちら」を読めば、本書を入口により深い議論にはいっていけるだろう(なお、邦訳版では日本語読者の便を考えて、日本語で読める関連書籍のリストをつけた)。

5

　もちろん著者の専門分野である文学からの例も、英文学を中心に幅広い目くばせをしたものになっている。20世紀のモダニズム運動を牽引した詩人エズラ・パウンドが、中国の古典詩を英訳する過程で、そこに第一次世界大戦のコンテキストを織りまぜ、新しい簡潔な詩の文体をつくりあげたこと。17世紀、ジョン・ドライデンがウェルギリウスの英訳に、当時の体制への批判を込めたこと。18世紀、アレクサンダー・ポープが疑似英雄詩の形式で書かれた『髪の掠奪』で、ドライデンのウェルギリウスの英訳を参照しながら、作者と訳者の両方と交流していること。あるいはW・G・ゼーバルトのどこか不安定な英訳の文体。こうした、文学作品が翻訳をつうじて新たな力をえることを指して、レイノルズは「翻訳の詩学」と呼んでいる。

　もちろん、「翻訳の詩学」が発揮されるケースは、日本でも枚挙にいとまがない。たとえば、アメリカの国民作家、エドガー・アラン・ポーによる最晩年の詩「アナベル・リイ」(1849年)は、少年と少女の恋を描いたものだ。しかし、少女アナベル・リイは風邪をひいて死んでしまう。以下の節が、詩の語り手によるその説明だ。

> The angels, not half so happy in Heaven,
>   Went envying her and me—
> Yes!—that was the reason (as all men know,
>   In this kingdom by the sea)
> That the wind came out of the cloud by night,
>   Chilling and killing my Annabel Lee.‡5

上の一節の、詩人の日夏耿之介による訳(1940年)が以下になる。

  帝郷の天人ばら天祉およばず
  めであざみて且さりけむ、
  さなり、さればとよ（わたつみの
   みさきのさとにひとぞしる）
  油雲風を孕みアナベル・リイ
  そうけ立ちつ身まかりつ。‡6

　原文に比して、いまの目からはあまりに難渋な、漢語や雅語を駆使した文体は、当時の読者にとっても読みやすいものではなかったと思われる。ゴシック・ロマーン的な内容のポーの原詩を、日夏耿之介自身の耽美な詩の文体で味付けした上記のような訳文のスタイルは、単純な直訳や意訳ではない（同化や異化翻訳でもない）、「創造的」な翻訳だとしか言いようがない（日夏訳の特異性は、やはり詩人の加島祥造訳とくらべても際だっている）‡7。しかし、このような翻訳は同時代の堀口大學の翻訳同様、三島由紀夫、澁澤龍彦といった文学者に多大な影響をあたえていた。
　大江健三郎もまた、少年時代にこの詩を読んで印象づけられたひとりだった。そのことを作家は以下のように回想している。

---

‡5 Edgar Allan Poe, *Edgar Allan Poe: Poetry and Tales*, New York: Library of America, 1984. p. 102.
‡6 日夏耿之介『日夏耿之介全集　第二巻』河出書房新社、1977年、113頁。
‡7 天使たちは天国にいてさえぼくたちほど幸せでなかったから
 彼女とぼくとを羨んだのだ――
 そうだとも！　それこそが理由だ
 それはこの海辺の国の人みんなの知ること
 ある夜、雲から風が吹きおりて
 凍えさせ、殺してしまった、ぼくのアナベル・リーを。
エドガー・アラン・ポー『対訳　ポー詩集――アメリカ詩人選(1)』加島祥造編訳、岩波文庫、1997年、33頁。

> 私は十七歳の時、創元選書『ポオ詩集』でこの詩を発見し（実在する、私にとってはまさにそのような少女に会うことがなかったとはいわない）、占領軍のアメリカ文化センターの図書室で原詩を写した。〔中略〕少年の私が、なぜ日夏耿之介の翻訳の文体に魅きつけられたか？ それは母国の現代詩には無知で、家庭の事情から『唐詩選』はじめ漢詩になじんでいたからだ。それを手引にアメリカ文化センターの豪華本で見つけたポーの原詩は、私にいささかも古びたところのない、新しい英語とひとしいものに感じられた。その英詩と日夏訳との間の文体、声の落差がさらにも強く私を魅了したのである。それをきっかけに、これら二つの（時には三つの）言語の間を行き来することであじわいなれた恍惚が、いまも私の文学受容になごりをとどめている。‡8

漢文訓読調の日夏訳の文体と、平明なポーの英語の「声の落差」が、17歳の高校生をとらえ、半世紀後に、まさに日夏訳からタイトルをとった『臈たしアナベル・リイ 総毛立ちつ身まかりつ』（2007年）という長編小説を書かせることになる‡9。これもレイノルズの言う「翻訳の詩学」の一例だろう。

6

「翻訳」をテーマにした本書は、あつかうトピックも多岐にわたるため、翻訳の過程で、固有名詞の表記をはじめとしてまさに世界各国、各言語のさまざまな専門家の助力・助言をあおいだ。以下に特にお世話になった方の名前をあげさせていただく

---

‡8 大江健三郎「解説——野心的で勤勉な小説家志望の若者に」ウラジーミル・ナボコフ『ロリータ』若島正訳、新潮文庫、2006年、622-623頁。
‡9 この小説については拙著で内容を分析したことがある。秋草俊一郎『アメリカのナボコフ——塗りかえられた自画像』慶應義塾大学出版会、2018年、208-226頁。

次第である。上原究一、田中創、中川裕、中丸禎子の諸氏である（五十音順）。深く感謝したい。

　本書の担当編集者である栗本麻央さんに感謝する。本書の企画段階から校正、本としての完成まで、着実にサポートしていただいた。

　日本でも翻訳研究は注目を集めつつあり、近年でもすぐれた、本格的な博士論文もいくつも書かれ、出版されている。また、文学研究とくらべて年若い分野である翻訳研究は、機械翻訳や大規模コーパスをもちいた訳文の分析など、理系的な研究成果を柔軟にとりこみ、日々変化し、発展をつづけている（本書の内容も、そういった方面では古くなっていくだろう）。非常によろこばしいことだが、学問の深化がすすむ一方で、その成果をほかの分野と結びつけ、あるいは社会に還元するための「橋わたし的（トランスレイショナル）」な仕事ももっと必要になるだろう。本書がその一助となれば幸いである。

2019年2月　訳者

引用クレジット

Extracts from 'Interview: Interpreters in conflict—the view from within', Louise Askew and Myriam Salama Carr, *Translation Studies* (Taylor & Francis, 2011) 4.1, pp. 103–8, reprinted by permission of the publisher (Taylor & Francis Ltd, <http://www.tandfonline.com>).

'Between' by Christine Brooke-Rose (*The Brooke-Rose Omnibus: Four Novels- Out, Such, Between, Thru*, 2nd edn., 2006) is reprinted here by kind permission of Carcanet Press Limited, Manchester, UK.

Extracts from Dorothy L. Sayers (trans.) Dante: *The Divine Comedy*, Vol. 1: *Hell* (Penguin, 1949).

Extracts from 'Song of the Bowmen of Shu' and 'The Beautiful Toilet' By Ezra Pound, from CATHAY, copyright © 1915 by Ezra Pound. Reprinted by permission of New Directions Publishing Corp.

Extracts from Rabia Rehmen, 'Translator', in Kate Clanchy (ed.), *The Path: An Anthology by the First Story Group at Oxford Spires Academy* (London: First Story Limited, 2015). By permission.

Extracts from <www.valentinagosetti.wordpress.com/>.

Austerlitz Quotation by W. G. Sebald. Copyright © 2001, The Estate of W.G. Sebald, used by permission of The Wylie Agency (UK) Limited. Translation copyright © Anthea Bell, 2001. Reproduced by permission of Penguin Books Limited.

Extracts from Alexander Pope, *The Rape of the Lock*, 2. 45–6, tr. as Il Riccio Rapito by Viola Papetti (Milan: Rizzo Ii, 1984), 64 © 1986–2016
Rizzoli Libri Spa/ Burrizay Milano.

Extracts from Tony Harrison, *Theatre Works 1973–1985* (Harmondsworth: Penguin, 1986), p. 190. With permission from Faber and Faber Ltd.

図版一覧

図1
François Mulard, *The Persian Envoy Mohammed Reza Qazvini, Finkenstein Castle, 27 April 1807*
Wikimedia Commons

図2
'Innocent's new squeeze'
Courtesy of Innocent Ltd.

図3
'Pressé avec amour'
Courtesy of Innocent Ltd.

図4
'Paris jus t'aime'
Courtesy of Innocent Ltd.

図5
International graphic symbols
Permission to reproduce extracts from ISO standards is granted by JSA.

図6
An Algonkin account of whites entering northern America, 17th century.
Transcribed by Gordon Brotherston and translated by Brotherston in collaboration with Ed Dorn
From *Image of the New World*, by Gordon Brotherston, Thames & Hudson Ltd, London

図7
Nausicaä and the Valley of the Wind, drawn by Hayao Miyazaki, translated by David Lewis and Toren Smith
From *Nausicaä of the Valley of Wind: Deluxe Edition*, Vol. 1, Viz Media, San Francisco

182頁
From *Nausicaä of the Valley of Wind: Perfect Collection Translation*, Vol. 1. Viz Communications, San Francisco

索引

あ

アイスキュロス 57-58, 150
『アガメムノーン』 57
アイルランド翻訳・通訳協会 110
アクィナス、トマス 103
アスキュー、ルイーズ 35
アチェベ、チヌア 149
アッサム語 32
アナン、コフィー 131
アブドゥッラー・ビン・アブドゥル・カディール・ムンシ 97-98
アフマートヴァ、アンナ 109
アフリカーンス語 79
アーホム語 119
アラビア語 20, 45, 49, 62, 67, 92, 98, 104, 116, 119, 123, 130, 142, 144, 175
アラブの春 142
有賀長雄 157
あんちょこ 26
異化 74-78, 117, 176, 181, 184, 187
五十嵐一 105
イストリア語 124
イスラエル 92, 130-131, 184
イタリア語 8, 13, 23, 25, 42, 46-47, 50, 72-73, 82, 87, 105, 119, 148, 150, 155-156, 161, 163-166
イディオム 50, 52, 79, 98, 151
イヌイット語 49
イノセント社 58-63
イボ語 22, 149
意味 3-4, 8-9, 11, 15, 22-26, 29-31, 34, 37-40, 42-52, 63, 83, 85-89, 91-92, 95, 120, 122, 143, 152, 160, 165, 167, 175-176, 181, 184
移民 78-79, 81, 113, 125, 169
印刷 19-20, 27, 31, 97-98, 101, 104-105, 168-169
インターネット 106, 118, 139, 142, 169
インデックス・トランスラショナム 118, 120-121
インド 16, 99, 112, 121, 144, 146, 148-149
インドネシア 22
ウィーヴァー、ウィリアム 83
ウィキペディア 139-140
ヴィクトリア女王 93, 96
ウィクリフ、ウィリアム 101
ヴィゼテリー、アーネスト 108
ヴィットリーニ、エリオ 107, 110
ウィリアムズ、エドワード 94
ウィリアムズ、ヘンリー 94-95
ヴェヌティ、ローレンス 117
ウェブ 138
ウェブサイト 17, 19, 26, 67, 104, 139, 143
ウェルギリウス 7, 10, 28-29, 66, 109, 153-156, 186
『アエネーイス』 28-29, 109, 153-155
ウェールズ語 143
ヴォート語 124
ウナムーノ、ミゲル・デ 161
『フェードラ』 161
ウリベ、キルメン 35
『ビルバオーニューヨークービルバオ』 35
英語 3-4, 7, 12-13, 16, 18, 20-21, 23, 26, 28-29, 30-34, 36-38, 42-43, 47-51, 56, 60-61, 63-68, 70-74, 76, 81, 83, 87-88, 92-98, 101-102, 108, 111-112, 114, 116-117, 119-121, 123-124, 130-136, 139, 141, 144, 147-150, 154, 157-159, 161-162, 164-166, 168-169, 176-179, 183-185, 188
英国外国聖書協会 99
『英国名詩選』 145
英国聖公会宣教協会 94

H.D.（ヒルダ・ドゥリトル） 150

エウリピデス 150, 161, 163
『アウリスのイピゲネイア』 164

エジプト革命の女性たちのことば 141

エストニア語 87, 123

AP通信 129-130

エリオット、ジョージ 150

エリオット、T・S 148
『荒地』 148

エリザベス女王 13, 15, 113, 117

エンクイスト、ペール・オーロフ 161
『フェードラへ』 161

オウィディウス 16, 25, 28

欧州連合 4, 15, 87, 89, 91, 122

オースティン、ジェイン 37
『分別と多感』 37

オニール、ユージーン 161
『楡の木陰の欲望』 161

オランダ語 87, 119, 130

オリンピック 166

か

『凱旋門』 106

ガズヴィーニー、ミールザー・モハンマド・レザー 14-15

カスティーリャ・スペイン語 35

カーソン、アン 158
『ノックス』 158

カーソン、ピーター 162

カタルーニャ語 35

学校 7, 10, 32-34, 41, 48, 85, 146, 180

カトゥルス 158

カーネ=ロス、ドナルド 26

カプリオーロ、エットーレ 105

カライム語 124

カーライル、トマス 145

ガリシア語 35, 143

カワード、ノエル 37
『私生活』 37

広東語 32

カンナダ語 149

漢文訓読 10-11, 21, 25, 29, 122, 176, 181, 185

機械翻訳 17, 133, 137-138, 168-169, 174, 185, 189

キャットフォード、J・C 49-52, 54-55

ギリシャ語 12, 18, 43, 49, 58, 87, 90, 100, 119, 148, 150

グーグル翻訳 4, 11, 106, 136-137, 139, 185

クラウド翻訳 16-19, 139-140

グラフィックノベル 67, 183-184

クロアチア語 35

グローカル翻訳 142

『クロックフォード聖職者人名簿』 24

グローバリゼーション 166, 169

グローバル・ヴォイス 139-140

グン、ダン 82, 84

ケアリー、ウィリアム 99

ケイン、サラ 161
『パイドラーの恋』 161

劇場 160-163, 167-168

ゲーテ、ヨハン・ヴォルフガング・フォン 150

ケトル、アーノルド 165

言語の標準化 34

厳密に定義された翻訳 30, 34, 36, 40-41, 120-122, 144, 146, 155, 180

検閲 105-109

広告 56, 58-61

国際標準化機構 63

国民性 145

国連 4, 125, 127, 129-133, 135, 152, 167

コサ語 32, 166

コミックス 66-67, 70, 182-183

コーラン 4, 104

コルクホーン、アーチボルド 73

コルシカ語 35

ゴールディング、アーサー 25

コンテキスト 29, 42-43, 46-48, 51, 55-56, 63-64, 76-79, 81, 84, 88, 100, 103, 113, 116-117, 135, 149, 152, 162, 186

コンラッド、ジョゼフ 147

さ

サイボーグ翻訳 137, 139

サウジアラビア 62, 106

サルカール、リーラ 112-113, 117, 185

サンスクリット 16, 99, 148-149

サンド、ジョルジュ 150

ジェイムズ、ヘンリー 150

ジェンキンス、ロン 164

シェイクスピア、ウィリアム 24-25, 37-38, 150-151, 163, 166
『尺には尺を』 163
『ジュリアス・シーザー』 163
『シンベリン』 37
『夏の夜の夢』 24
『マクベス』 161

ジェンダー 115-116, 142, 175

詩形 26, 66, 70, 72-74, 152, 182

辞書 18, 32-33, 35, 42, 44, 48, 50-52

字幕 16, 19, 26, 56-57, 140-142, 166-167, 171

市民翻訳 140

釈意 27-28

ジャンル 29, 76, 81, 85, 111, 125, 129, 132, 184

宗教改革 27, 101

シュライアマハー、フリードリヒ 74, 117

手話 19

ジョイス、ジェイムズ 148
『フィネガンズ・ウェイク』 148

使用域 125, 129, 132, 152

書記システム 67

ジョーベール、アメデ 15

新聞 66, 86, 129, 145

人文主義 101

スウェーデン語 87, 119, 161

スコポス 56, 185

図像サイン 63-64, 172

スタイナー、ジョージ 36-37, 39
『バベルの後に』 36

スタール夫人 150

スターン、ロレンス 148
『トリストラム・シャンディ』 148

スピヴァク、ガヤトリ 112, 185

スペイン語 23, 87, 106, 119, 123, 130-132, 141, 148, 161

スミス、トーレン 67, 69, 184

ズールー語 32, 161, 166

スワヒリ語 169

聖書 12, 16-17, 23, 27, 94, 97-105, 108, 171, 176

生物学 24

セイヤーズ、ドロシー・L 71-72, 74-75, 77

セカンドライフ 139

セクシュアリティ 78, 116

セネカ 161
『パエドラ』 161

ゼーバルト、W・G 158, 166
『アウステルリッツ』 158

セルビア語 35

『千一夜物語』 108

想像の共同体 145

ソト語 116

ソマスタイン、アラン・H 58

ゾラ、エミール 108

た

『タイムズ文芸付録』 81, 83, 85

多文化的なロンドン英語 76

多和田葉子 148, 178

ダンテ・アリギエーリ 70, 72-75, 77, 135, 146, 148, 150, 155-156, 172, 179
　『神曲』 70, 155

ダンヌンツィオ、ガブリエーレ 161
　『フェードラ』 161

チェコ語 87, 119

チェーホフ、アントン 162
　『イヴァーノフ』 162

逐語 27-28, 57, 116

チャン、マーサ 21

中国語 10-12, 21, 42, 65, 67, 119, 123, 135, 148, 157

趙家璧 146
　『中国新文学大系』 146

チョーサー、ジェフリー 36, 38, 150, 179
　『カンタベリー物語』 36

朝鮮語 20, 179

ツヴェターエヴァ、マリーナ 161
　『フェードラ』 161

ツォツィタール語 166

綴り 31-33, 94

ツワナ語 166

ツルゲーネフ、イヴァン 150

ティーヴァン、コリン 163
　『Iph』 164

デイヴィス、リディア 150

ディケンズ、チャールズ 151
　『オリヴァー・トゥイスト』 151

デイトン和平合意 34-35

ティモツコ、マリア 22

ティンダル、ウィリアム 27, 101-102, 105

デ・ウナムーノ、ミゲル 161
　『パイドラー』 161

デビ、モハッシェタ 112, 185

デリダ、ジャック 31
　「バベルの塔」 31

デル・リオ、イザベル 148

デュオリンゴ 137

デンマーク語 87, 119

ドイツ語 11, 13, 20, 42, 50, 87, 101, 103, 119-120, 123, 147-148, 158-159

同化 74-76, 78, 176, 181, 184, 187

ド・サレー、エウゼベ 150

ドーセット方言 35

トク・ピシン 119

ドライデン、ジョン 7, 10, 16, 27-29, 36, 38, 57, 109-110, 153-155, 158, 171, 186

ドラゴマン 13, 15, 113, 117, 171

トラダプテーション 161, 163-164

トランスエディティング 132

トランスラテラチャー 151, 160

トルコ語 13, 55

トルストイ、レフ 147
　『戦争と平和』 147

な

ナイジェリア 22, 149

ナイダ、ユージーン 98, 102, 185

ナボコフ、ウラジーミル 9, 147, 174, 178

ナポレオン 15

ニゴール、ミリアム 105

日本語 3, 9-13, 20, 25, 55, 67-70, 105, 119, 141, 148, 175-177, 181, 183-184

ニュージーランド 93-94, 96-97

ノペラ・パナカレアオ 96

ノーマンビー卿 93-95

は

パイネアス 90-91, 96

バイロン、ジョージ・ゴードン 150

ハーヴァード大学　140

パヴェーゼ、チェーザレ　150

パウンド、エズラ　12, 148, 157, 159, 186
　『中国(キャセイ)』　12, 157, 159
　『詩篇(キャントーズ)』　148
　「周の射手のうた」　157

バーグマン、イングリッド　106

バスク語　35

発語　51

バッサーニ、ジョルジョ　81, 84
　『フィンツィ・コンティーニ家の庭』　81

発話行為　51-52, 171

バートン、リチャード　108

ハーフェズ　150

パペッティ、ヴィオラ　155-156

ハム語　79, 81

ハリソン、トニー　57

ハルス、マイケル　158

ハルストン、トレヴァー　24

ハロワー、デイヴィッド　162

バーンズ、ウィリアム　36

バンバラ語　98

ハンプティ・ダンプティ　91

ハンマー、ヨーゼフ・フォン　150

ヒエロニムス　17, 100

ピショー、アメデ　150

ヒズボラ　130-131

ピーテ・サーミ語　124

ヒトラー、アドルフ　111
　『わが闘争』　111

ピラトゥス、ポンティウス　94

標準英語　8, 11, 33, 36

ヒンディー語　119

『ファイナンシャル・タイムズ』　24

ファンサブ　4, 141-142, 174, 182, 184

フィッツジェラルド、エドワード　158
　『オマル・ハイヤームのルバイヤート』　158

フェアメーア、ハンス　56

フェノロサ、アーネスト　157

フォ、ダリオ　164

フォレンゴ、テオフィロ　148

吹き替え　19, 26, 106

プーシキン、アレクサンドル　150

プーチン、ウラジーミル　163

仏教　16, 100

ブック・トレード　118, 122, 124

ブッシュマン　79-81

『ブッシュマン民話抄』　79

ブラウニング、エリザベス・バレット　18
　『詩集』　18
　「ポルトガル語からのソネット」　18

ブラウニング、ロバート　58
　『アリストファネスの弁明』　58

プラークリット語　149

ブラザーストン、ゴードン　65

フランコ、フランシスコ　106-107

フランス語　9, 18, 20, 23, 30-31, 33, 35, 42, 46, 48-52, 60-61, 67, 87-88, 92, 108, 117, 119-120, 123, 130, 133, 135, 147-148, 150, 161, 165-166

フランス通信社　129-130

プリズム的翻訳　122

ブルシャスキー語　55

プルースト、マルセル　17, 150

ブルチョーリ、アントニオ　27

ブルック＝ローズ、クリスティン　46
　『あいだ』　46

ブルネイ　22

ブレーク、ヴィルヘルム　79

ブレシア方言　124

プロヴァンス語　148

ブロノフスキー、ジェイコブ　115

フローベール、ギュスターヴ　150

ブロンテ、シャーロット 148
『ヴィレット』 148
ペギネッリ、アンドレア 163
北京方言(マンダリン) 32, 42
ベケット、サミュエル 147, 165, 174
『ゴドーを待ちながら』 165
ベックフォード、ウィリアム 148
『ヴァセック』 148
ペトラルカ 18, 179
ヘブライ語 12, 100, 130
ベル、アンシア 158, 166
ペルシウス 29
ペルシャ語 104, 150, 175
ヘルダー、ヨハン・ゴットフリート 145
ベルマン、アントワーヌ 117
ベンガル語 32, 99, 112, 185
ベンヤミン、ヴァルター 156, 185
「翻訳者の使命」 156
ヘンリー8世 105
方言 9, 20, 34, 36, 76, 78, 121-122, 124, 143, 148, 152, 169
ボスニア語 35
ホーソーン、ナサニエル 150
ポープ、アレクサンダー 18-19, 150, 153-156, 186
『髪の掠奪』 153, 156
ホブソン、ウィリアム 93-95
ホメイニ、アーヤトッラー 105
ホメロス 18, 26, 150, 153, 179
『イリアス』 18, 26, 153
ポーランド語 32, 87, 123, 147
ポリュビオス 90
ポルトガル語 23, 87, 119, 123, 130, 135, 169
翻訳性 30, 36, 152-153, 155, 181
翻訳調 12, 168
翻訳の詩学 157-158, 179, 186, 188
翻訳メモリ 137-138

ま

マイソールのタミル語 149
マオリ族 93-96
マコーレー卿 146
マッケンドリック、ジェイミー 82-84
マッツィーニ、ジュゼッペ 145
マドラスのタミル語 149
マラヤーラム語 112-113, 185
マルタ語 87, 123
マレー語 20, 98
マンガ 4, 70, 140-141, 182-184
マンゾーニ、アレッサンドロ 73
『いいなづけ』 73
マンデリシュターム、オシップ 109
マン島語 124
ミルトン、ジョン 148
宮崎駿 67, 69, 182
『風の谷のナウシカ』 67, 69, 182-184
ムソーミ、ウェルカム 161
ムッソリーニ、ベニート 107, 109
ムハンマド 104
ムラト3世 13
村上春樹 150
モア、トマス 101
目的 18, 29, 36, 42, 52, 56-58, 61, 78-79, 81, 86, 92, 111-114, 125, 141, 163, 169, 171, 174, 185
模倣 27-28
森槐南 157
モーリシャス 24
モリス・ダンス 52, 54-56
モリソン、ロバート 100
モンターレ、エウジェーニオ 109

や

ユウェナリス 29

ユーゴスラヴィア 34
ヨークシャー 32, 76

ら

ライデッカー、メルヒオール 98
ライリー、ジョン 23
ラシーヌ、ジャン 161
　『フェードル』161
ラシュディ、サルマン 105
　『悪魔の詩』105
ラスキン、ジョン 150
ラテン語 7, 13, 18, 23, 29, 66, 90, 100, 103, 119, 144, 148, 150-151, 154-155, 161, 169, 171
ラトヴィア語 87, 123
ラマヌジャン、A・K 149
ランペルール、マルタン 27
リース、ジーン 148
リドリー、フィリップ 163
　『ピッチフォーク・ディズニー』163
李白 157
リルケ、ライナー・マリア 147
ルイス、デイヴィッド 67, 69
ルクレティウス 158
ルシュツィード語 119
ルター、マルティン 17, 27, 101-103
ルーマニア語 23, 87
レアリア 43, 54, 175
レーヴィ、プリモ 111
レナペ＝アルゴンキン 65
　『ワラム＝オールム』65
レーメン、ラビア 114
『連鎖』56
ロイター通信 129-132
ロイド、ルーシー 79-80
ローカリゼーション 137-139, 174
ローグ、クリストファー 26, 179
　『戦争音楽』26
ロシア語 32, 119, 123, 133-134, 147, 161, 163, 166, 178
ロセッティ、ダンテ・ガブリエル 37
ロマ語 124
「ローマの信徒への手紙」102
ロレンス、D・H 107
　『セント・モア』107
ロングフェロー、ヘンリー・ワーズワース 72-75, 77

わ

ワイアット、トマス 18
ワイタンギ条約 93-94, 96
ワイルド、オスカー 148
　『サロメ』148
ワーズワース、ウィリアム 151

アルファベット

Mosireen 140-141
NATO 34
『SeZaR』163, 166
TED 140
Transferre 143

訳者略歴
秋草俊一郎（あきくさ・しゅんいちろう）
1979年生まれ。東京大学大学院人文社会系研究科博士課程修了。博士（文学）。日本学術振興会特別研究員、ハーヴァード大学研究員、東京大学教養学部専任講師などをへて、現在、日本大学大学院総合社会情報研究科准教授。専門はナボコフ研究、比較文学、翻訳研究など。著書に、『ナボコフ　訳すのは「私」――自己翻訳がひらくテクスト』（東京大学出版会）、『アメリカのナボコフ――塗りかえられた自画像』（慶應義塾大学出版会）。訳書に、クルジジャノフスキイ『未来の回想』（松籟社）、バーキン『出身国』（群像社）、ナボコフ『ナボコフの塊――エッセイ集 1921-1975』（編訳、作品社）、モレッティ『遠読――〈世界文学〉への挑戦』（共訳、みすず書房）、アプター『翻訳地帯――新しい人文学の批評パラダイムにむけて』（共訳、慶應義塾大学出版会）など。

翻訳　訳すことのストラテジー

2019年 3月10日　第1刷発行
2021年11月10日　第4刷発行

著　者　マシュー・レイノルズ
訳　者　ⓒ 秋　草　俊　一　郎
発行者　及　川　直　志
印刷・製本　図書印刷株式会社

発行所　〒101-0052 東京都千代田区神田小川町3の24　株式会社　白水社
電話 03-3291-7811（営業部），7821（編集部）
www.hakusuisha.co.jp
乱丁・落丁本は，送料小社負担にてお取り替えいたします．

振替　00190-5-33228　　　Printed in Japan

ISBN978-4-560-09685-7

▷本書のスキャン、デジタル化等の無断複製は著作権法上での例外を除き禁じられています。本書を代行業者等の第三者に依頼してスキャンやデジタル化することはたとえ個人や家庭内での利用であっても著作権法上認められていません。

白水社の本

翻訳のダイナミズム　時代と文化を貫く知の運動
スコット・L・モンゴメリ 著／大久保友博 訳

古代ギリシアの科学・文化はいかに中世アラビア・近代日本へと継承されたのか。叡知の伝播を壮大に描く前人未踏の《翻訳の世界史》。

思想としての翻訳
ゲーテからベンヤミン、ブロッホまで
三ッ木道夫 編訳

ベンヤミンの翻訳論において「最良のもの」と評されたゲーテ及びパンヴィッツの論考を含め、全一〇人一五本の基礎文献を収録。翻訳とは何かを考える上で必須の、翻訳関係者待望の翻訳論集。

翻訳　その歴史・理論・展望
ミカエル・ウスティノフ 著／服部雄一郎 訳

豊富な具体例によって、そのメカニズムを明快に論じた翻訳論の入門書。言語間の言い換えという位置づけから、マルチメディア化に伴い異なった記号体系間の翻訳という形までを解説。【文庫クセジュ】